NEW
서울대 선정
인문고전
60선

46
하이데거 존재와 시간

NEW 서울대 선정 인문 고전 **46**
만화 하이데거 존재와 시간

개정 1판 1쇄 인쇄 | 2019. 8. 14
개정 1판 1쇄 발행 | 2019. 8. 21

임선희 글 | 최복기 그림 | 손영운 기획

발행처 김영사 | 발행인 고세규
등록번호 제 406-2003-036호 | 등록일자 1979. 5. 17.
주소 경기도 파주시 문발로 197 (우-10881)
전화 마케팅부 031-955-3100 | 편집부 031-955-3113~20 | 팩스 031-955-3111

값은 표지에 있습니다.
ISBN 978-89-349-9471-8
ISBN 978-89-349-9425-1(세트)

좋은 독자가 좋은 책을 만듭니다. 김영사는 독자 여러분의 의견에 항상 귀 기울이고 있습니다.
독자의견전화 031-955-3139 | 전자우편 book@gimmyoung.com
홈페이지 www.gimmyoungjr.com | 어린이들의 책놀이터 cafe.naver.com/gimmyoungjr

이 도서의 국립중앙도서관 출판예정도서목록(CIP)은 서지정보유통지원시스템 홈페이지(http://seoji.nl.go.kr)와
국가자료종합목록시스템(http://www.nl.go.kr/kolisnet)에서 이용하실 수 있습니다. (CIP제어번호 : CIP2018042969)

어린이제품 안전특별법에 의한 표시사항
제품명 도서 제조년월일 2019년 8월 21일 제조사명 김영사 주소 10881 경기도 파주시 문발로 197
전화번호 031-955-3100 제조국명 대한민국 ⚠주의 책 모서리에 찍히거나 책장에 베이지 않게 조심하세요.

NEW 서울대 선정 인문고전 60선

46

하이데거 존재와 시간

임선희 글 · 최복기 그림

주니어김영사

'서울대 선정 인문고전 50선'이 국민 만화책이 되기를 바라며

　40여 년 전, 제가 살던 동네 골목 어귀에는 아이들에게 만화책을 빌려 주는 가게가 있었습니다. 땅바닥에 검정색 비닐을 깔고 그 위에 아이들이 좋아하는 만화책을 늘어 놓았는데, 1원을 내면 낡은 만화책 한 권을 빌릴 수 있었지요. 저는 그곳에서 처음으로 만화책을 접했고, 만화책을 보면서 한글을 깨쳤습니다. 어쩌면 그때 저는 만화가 가진 힘을 깨우쳤다고 할 수 있습니다.

　이렇게 만화책으로 시작한 책과의 인연으로 저는 책을 좋아하게 되었고, 중학교 때는 도서반장을 맡게 되었습니다. 약 10만 권의 장서를 자랑하는 학교 도서관을 매일 밤 10시까지 지키면서 참 많은 책을 읽었습니다.

　또래의 아이들이 지겹게만 여기던 헤밍웨이의 《노인과 바다》를 두 손에 땀을 쥐며 네 번이나 읽었습니다. 또한 헤르만 헤세의 《데미안》을 읽으며 질풍노도의 시절을 달랬고, 김래성의 《청춘 극장》을 밤새워 읽느라고 중간고사를 망치기도 했습니다.

　당시 저의 꿈은 아주 큰 도서관을 운영하는 사람이 되어 하루 종일 책을 보면서 사람들에게 필요한 책을 쓰는 작가가 되는 것이었습니다. 이제 저는 한 가지 더 큰 꿈을 가지려고 합니다. 그것은 우리나라의 아이들이 꿈과 위로를 얻고, 나아가 인생을 성찰하게 해 줄 수 있는 멋진 만화책을 만드는 일입니다.

'서울대 선정 인문고전 50선'은 서울대학교 교수님들이 추천한 청소년들이 꼭 읽어야 할 동서양 고전 중에서 50권을 골라 만화로 만든 것입니다. 이 책들은 그야말로 인류 문화의 금자탑이라고 할 수 있는 것이지만, 사실 제목만 알고 있을 뿐 쉽사리 읽을 엄두가 나지 않는 책들입니다.

그것을 수십 명의 중·고등학교 선생님들과 전공 학자들이 밑글을 쓰고, 또 수십 명의 만화가들이 고민에 고민을 거듭하여 쉽고 재미있게, 그러면서도 원서의 내용을 정확하게 전달할 수 있도록 노력하여 만들었습니다.

그래서 '서울대 선정 인문고전 50선'이 어린이와 청소년뿐만 아니라 부모님들이 함께 봐도 좋을 만화책이라고 자부합니다. 국민 배우, 국민 가수가 있듯이 만화로 읽는 '서울대 선정 인문고전 50선'이 '국민 만화책'이 되길 큰마음으로 바랍니다.

송영운

존재를 향한 무한한 사랑

옛날에 잘생긴 산토끼가 있었습니다. 이 산토끼는 자신이 무척 잘생겼다며 으스 댔습니다. 이를 못마땅하게 생각하던 영양은 산토끼를 골릴 좋은 꾀를 생각해 냈 습니다. 아가씨가 산토끼와 결혼하고 싶어 한다고 거짓말을 한 것입니다. 아가씨 가 동산에서 기다릴 거라는 말도 덧붙였습니다.

산토끼는 기쁨을 감출 수 없었습니다. 안절부절 못하며 밤이 오기만을 기다렸지 요. 그런데 아가씨는 산토끼가 있는 동산이 아닌 다른 동산에 얼굴을 내밀었습니 다. 산토끼는 그쪽으로 마구 뛰었습니다. 그러나 그곳에도 아가씨는 없었습니다. 이리저리 뛰어다녔지만 결국 찾지 못하고 기진맥진한 상태로 새벽을 맞이했습니다.

산토끼는 포기하지 않고 매일 밤 아가씨를 찾아 헤맸습니다. 세월이 흐르자 그 렇게 자랑하던 산토끼의 외모가 변했습니다. 주구장창 아가씨를 찾던 눈은 피로로 빨개졌고 아가씨가 하는 이야기를 들으려 밤새 귀를 쫑긋이던 버릇 때문에 귀도 아주 길어졌습니다.

하이데거의 《존재와 시간》의 원고를 마치면서 문득 어린 시절에 읽었던 이 동화 가 떠올랐습니다. 하이데거의 모습이 어쩐지 산토끼의 모습과 닮아 보여서였습니 다. 산토끼가 달에 대한 사랑을 멈출 수 없었던 것처럼 하이데거 역시 '존재'를 향 한 사랑을 멈추지 않았기 때문입니다.

달은 때로 구름에 가려 보이지 않지만, 늘 우리 곁에 있습니다. 우리가 자주 접 하는 존재(있음)라는 말도 마찬가지입니다. 자주 사용하는 말이지만 막상 "존재가 도대체 뭐야?" 라는 질문을 받으면 말문이 막힙니다.

하이데거는 존재에 대해 진지하게 묻지 않는 태도를 비판하는 것으로부터 《존재와 시간》을 시작합니다. 산토끼가 밤새도록 지친 다리를 이끌고 달을 찾아다녔듯이 하이데거 역시 존재의 의미를 밝히기 위해 평생을 고민했습니다. 결국 분명한 답을 얻지 못했지만 말입니다. 존재의 의미를 밝혀 보겠다는 목표를 갖고 시작한 《존재와 시간》 역시 완성된 책이 아닙니다. 그래서 이 책의 첫 장을 펼치면서 '존재란 어떤 의미일까?' 라는 질문의 답을 기대한 친구들은 실망할지도 모릅니다.

하지만 여러분이 이 책의 마지막 장을 넘긴 뒤에는 적어도 자신의 삶을 되돌아보고 제대로 사는 것에 대해 고민할 것입니다. 이는 《존재와 시간》을 소개하면서 제가 바라는 바이기도 하지요. 나아가 하이데거를 뛰어넘는 철학자가 나오기를 조심스럽게 기대해 봅니다.

끝으로 《존재와 시간》을 쉽게 풀이하면서 어떤 점에 초점을 맞추었는지 말씀 드리면, 먼저 《존재와 시간》은 철학 전공자들이 볼멘소리를 할 정도로 어려운 책입니다. 하이데거가 새로이 만들어 낸 단어들이 많아 내용 이해는 둘째 치고 단어의 뜻을 파악하는 데도 시간이 많이 걸립니다. 또 서양의 방대한 철학사를 알고 있어야 제대로 읽을 수 있습니다.

그래서 하이데거의 용어를 그대로 소개하기보다는 전체적인 맥락에서 그가 주장하고자 하는 핵심적인 내용을 다루는 데 주안점을 두었습니다. 그리고 《존재와 시간》을 이해하기 위해 필요한 내용들은 제 나름대로 보충 설명했습니다.

개인적인 여러 가지 일로 원고가 늦어져 출판사 관계자 여러분은 물론 만화가 분도 고생을 많이 하셨습니다. 심심한 위로를 전하며 기나긴 기다림으로 인내해 주신 모든 분들께도 감사의 인사를 전합니다.

임시혁

'자신의 삶'을 살아라!

《존재와 시간》의 원고가 끝나고 난 뒤 저는 자전거를 한 대 마련했습니다. 원고를 완성하는 동안 가슴 한 켠에서 하이데거가 제게 끝없이 질문을 했기 때문입니다.

"너 지금 죽게 되면 후회하지 않을 수 있어?"

죽음 앞에 서면 누구나 솔직해지지요. 하이데거는 모두가 자신이 진정 원하는 모습을 찾기를 바랐습니다. 하이데거는 말합니다.

"네 미래를 향해 적극적으로 나아가라!"

"네 마음의 소리에 귀 기울이라!"

사실 대부분의 어른들은 우리가 평범한 삶을 살기를 원합니다. 모난 돌이 정 맞는 법이니까요. 하지만 실질적으로 평범하게 남들 사는 만큼 사는 것처럼 힘든 일도 없습니다. 세상과 사회의 기준에 나를 맞추고 너무 뒤처지지도 너무 앞서지도 않으려고 부단히 노력해야 하기 때문입니다.

하이데거는 다른 사람에 의해 규정된, 다른 사람들이 선호하는 삶의 기준에 자신을 맞추지 말라고 합니다. 내면에 귀를 기울여 자신의 존재가 원하는 것, 그것에 기준을 두라고 말입니다. 세상이라는 물결에 휩쓸릴 것이 아니라 당당히 일어서서 자신의 세상을 만들기를 권합니다. 단 한 번뿐인, 다시는 돌아오지 않을 나의 삶이기 때문입니다.

우리의 양심 속에는 끊임없이 외치는 소리들이 있습니다. 본문에도 나오지만 양심의 소리란 옳고 그름의 도덕적 가치관에 대한 이야기가 아닙니다. 내 마음속에서 우러나오는 자아의 소리입니다. 골방에 박혀 원고를 완성하던 저에게 하이데거는 끊임없이 말을 건넸습니다.

"이대로 너의 삶은 괜찮은가?"

괜찮지 않았습니다. 이렇게 방에 콕 박혀 여유 없이 숨이 턱까지 차오를 정도로 작업하느라 정신이 없는 내 모습, 나를 이곳에서 탈출시켜 줄 무언가가 필요했습니다. 시원한 바람, 자유, 땀. 우선 필요한 것은 그것이었습니다. 내부에서 이런 외침이 들렸습니다.

'자전거를 타고 세상 밖으로 나가 자유를 만끽하라!'

그래서 저는 원고를 끝내자마자 자전거를 샀고 근처의 공원으로 페달을 밟았습니다. 시원한 공기, 자유의 바람이 내 볼을 스치고 지나가는 것을 느꼈습니다. 잠깐이지만 제대로 숨을 쉴 수 있었습니다.

그리고 이것은 미래에 대한 적극적인 내 삶의 변화의 일보였습니다.

여러분도 하이데거의 《존재의 시간》을 통해 양심의 소리에 귀를 기울일 기회가 있었으면 좋겠습니다. 진정으로 내가 원하는 것은 무엇인지 나의 내부에 귀 기울줄 알고, 미래의 내 삶을 위해 적극적으로 나아가는 계기가 되었으면 좋겠습니다.

최복기

| 차 례 |

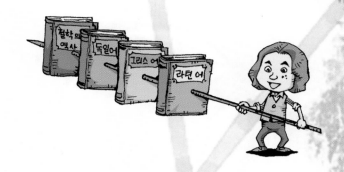

제1장 《존재와 시간》은 어떤 책일까?

안녕, 친구들? 난 마틴이야.

방가

내 이름은 존시!

마르틴 하이데거(Martin Heidegger)라는 사람을 존경해서 그의 이름을 본떠 마틴이라 지었지.

이놈의 인기란!

하이데거 선생님, 존경해요!

그렇구나!

하이데거는 유명한 독일의 철학자야.

어, 당신은?

내가 바로 하이데거야.

얼마나 유명했냐 하면, 사람들이 그를 이렇게 부를 정도였지.

우리 시대의 가장 위대한 사상가.

예언자.

감사!

독일의 소크라테스.

하이데거를 이렇게 유명하게 만든 건 바로 그가 쓴, 《존재와 시간》이라는 책이야.

존재와 시간

책이 나오기 전에도 하이데거는 이미 독일의 인기 강사이자 철학자로 이름을 떨치고 있었지.

저분이 하이데거야?

그럼, 얼마나 족집게인지 알아?

하지만 이 책 덕분에 그는 세계에서 알아주는 철학자가 될 수 있었어.

존재와 시간

사람들의 관심은 그야말로 폭발적이었지.

인터넷 게임이 처음 등장 했을 때처럼 말이야?

뭐, 그렇다고 할 수 있지.

아마 하이데거 자신도 반응이 그 정도로 클 거라는 예상은 못 했을걸?

아냐, 조금은 예상했었….

에이, 거짓말!

많은 사람들의 찬사를 받았던 책이니까 누구나 읽기 쉬울 거라고?

어디 보자…. 이런 책은 한번 읽어 봐야 하지 않겠어?

천만에. 이 책은 소설이나 만화책처럼 쉽게 읽을 수 있는 책이 절대 아니야.

아니, 뭐가 이렇게 어려워?

철학을 공부하는 사람들 사이에서도 어렵다고 소문이 자자한 책이니까.

나만 이해 못한 게 아니었군!

휴~

심지어는 독일 사람들조차도 《존재와 시간》의 독일어 번역본이 언제 나오느냐는 농담을 한대.

?

하하하하!

떼굴

떼굴

웃기지 않아?

뭐가?

같은 독일 사람이 쓴 책인데 독일어로 번역해 달라고 하잖아. 하하하! 아이고 웃겨.

그 정도로 웃기지는 않는데….

그런데 사람들이 그런 농담을 하는 이유가 뭐야?

우선, 하이데거가 새로 만들어 낸 용어가 너무 많아서야.

그는 존재와 관련된 용어를 무려 100개 넘게 새로 만들었어.

100개나?

아니. 100개 이상!

여러분도 현존재라는 말을 처음 들어 보지? 그가 만들어 낸 새로운 용어들을 이해하지 못하면 이 책의 내용을 따라가기가 쉽지 않아.

나를 따르라!

잠깐, 하이데거가 만든 새로운 단어 먼저 공부하고!

예를 들어, "인간은 동물과 다르다.", "인간으로서 품위를 지키자." 등등 우리가 흔히 사용하는 '인간'이라는 단어 대신 하이데거는 '현존재(Dasein)'라는 새로운 용어를 사용했지.

현존재로서 품위를 지켜야지.

난 현존재가 아니야. 부엉이지!

게다가 이 책은 읽는 사람들에게 다소 불친절한 편이야.

여기는 왜 이렇게 불친절해?

흥! 따라오라 할 때 안 따라 오더니!

말을 안 들어 줘서 삐쳤나 봐!

뭔가 중요한 이야기인 것 같은데, 자세하게 설명해 주지 않거든.

아, 모르겠어. 친절하게 설명해 주지 않잖아.

가뜩이나 그가 새로 만들어 낸 용어들 때문에 골치가 아픈데 말이지.

아무리 봐도 모르겠어.

어떤 사람들은 이해할 수 없는 말만 내뱉는다고 비판하기도 해.

에잇, 이런 허풍쟁이!

이봐, 안 돼!

무지 어려운 말들만 쏟아 내서 사람, 아니 부엉이를 괴롭히잖아.

네 마음 이해해!

그, 그렇지?

이 책을 제대로 이해하려면 서양 철학의 역사는 물론, 언어에 대해서도 훤히 꿰뚫고 있어야 하거든.

나처럼 말이야!

그런데 그보다 더 골치 아픈 것은 바로 번역의 문제야.

혹시 독일어 할 줄 아는 사람?

음, 아무도 없어?

《존재와 시간》을 독일어로 읽지 못하니, 우리말로 번역된 것을 읽어야겠지?

끙… 바로 이 번역이 또 머리를 좀 아프게 해.

우리말로 번역된 책이 많은 데다가 번역한 사람에 따라 중요한 용어들이 조금씩 다르거든. 예를 들어, 독일어 'Zuhandenheit'(츄한덴하이트)를 누구는 '용재성(用在性)'으로, 누구는 '손 안에 있음'으로 번역하기도 했어.

내가 옳아! '용재성(用在性)'이라고!

투당

투당

….

아냐! '손 안에 있음'이야!

번역이 다르다고 하이데거가 전달하고자 한 내용 자체가 바뀌는 것은 아니지만,

괜찮네, 둘 다 내용에 문제는 없어.

씨익

표현에 차이가 있다 보니 조금 혼란스럽기는 해.

번역이 다 다르니 더 어렵잖아!

이쯤 되면 불평이 나올 만하지.

이렇게 어려운 책을 도대체 어떻게 읽으라는 거야?

벌써 슬금슬금 뒷걸음질하는 친구들도 보이는데?

아하하

이리 와 봐. 어렵다고 도망가면 이 책이 얼마나 매력적인지 알 수 없잖아.

너무 겁 먹지 마. 나와 함께 한 걸음 한 걸음 걷다 보면 《존재와 시간》으로의 긴 여정을 즐길 수 있을 거야.

그럼, 이제 출발해 볼까?

척

알았어, 함께 가 보도록 하지!

우선 《존재와 시간》이 어떤 책인지 알아야겠지?

하이데거가 이 책을 완성한 때는 1926년이야.

이때 내 나이는 37살이었어!

비교적 젊은 나이에 엄청난 대작을 완성한 셈이지.

우아!

하하!

그는 1927년 스승인 에드문트 후설이 펴낸 학술 잡지 《철학 및 현상학 탐구 연보》 제8집에 이 작품을 발표했어.

스승님, 이것을 잡지에 실어 주세요.

알겠네!

원래 하이데거는 '인간의 실존론적 구조'를 밝히고 나서, '존재 일반의 문제'를 다룬다는 목표로 이 책을 2부 6편으로 구성했단다. 인간에 대해 먼저 살피고 범위를 넓히는 거지.

순서대로 밝혀 보는 거야!

인간의 실존론적 구조 ▶ 존재 일반의 문제

하지만 아쉽게도 이 책에는 1부 1편인 '현존재의 예비적 분석'과 2편인 '현존재와 시간성'까지만 실렸단다.

현존재의 예비적 분석

현존재와 시간성

철학 및 현상학 탐구 연보 제8집

1부 3편인 '시간과 존재'의 원고도 일부 써 놓은 상태였지만, 완성하지는 못했어.

'시간과 존재'를 설명할 만한 적절한 용어를 더 이상 찾기 어려웠기 때문이야.

시간과 존재

띠-

철학 및 현상학 탐구 연보제8집

3편은 오랜 시간이 흐른 뒤 1969년 《사유의 사태로》에 실려 출판되었지.

사유의 사태로

시간과 존재

이 작품은 완성되지 않았지만 엄청난 파장을 일으켰어.

하이데거의 사상은 해석학, 현상학, 실존주의 같은 현대 철학 뿐만 아니라 사회 철학, 문학, 심리학, 정신 분석 등 여러 분야에 많은 영향을 미쳤어.

문학
현상학
신학
사회 철학
해석학
실존주의
정신분석
생태 윤리학
심리학

《존재와 시간》이 발표된 1927년을 기준으로 철학이 크게 진보했다는 극찬을 받으며

찬양

철학 1927년 이전
학 1927년 이후

그는 비트겐슈타인과 함께 20세기의 위대한 철학자로 손꼽혔지.

루드비히 비트겐슈타인*
1889~1951

하이데거가 이렇게 극찬을 받은 이유가 뭘까?

글쎄? 왜 그렇지?

그는 그동안 서양의 형이상학이 존재 문제에 있어서 잘못된 길을 걸어왔다고 비판했어.

존재 자체는 내버려 둔 채 존재자의 문제에만 매달려 온 것은 잘못되었어!

*루드비히 비트겐슈타인 – 오스트리아 출생의 영국 철학자. 영국의 '분석 철학계'에 큰 영향을 끼침.

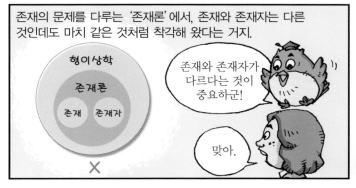

존재의 문제를 다루는 '존재론'에서, 존재와 존재자는 다른 것인데도 마치 같은 것처럼 착각해 왔다는 거지.

형이상학
존재론
존재 존재자
✕

존재와 존재자가 다르다는 것이 중요하군!

맞아.

그런데 형이상학? 존재론? 이게 다 무슨 말이야?

처음 들어 본 말이라 어렵겠지만 사실 쉬워.

어느 날, 문득 이런 생각이 든 적 없니?

사람은 어디에서 왔을까?

사람이 죽은 다음에는 어떻게 될까?

세상은 누가 만들었을까?

내가 죽은 다음에도 세상은 그대로일까?

형이상학은 이런 문제들에 대해 연구하는 학문으로 철학의 한 분야에 속해.

간단히 말해 '세계의 궁극적인 근거'에 대해 연구하는 학문이야.

가장 근본이란 말이지?

존재론은 존재에 대해 연구하는 학문으로 형이상학의 중요한 분야야.

형이상학을 공부하려면 존재론을 알아야겠네?

그렇지!

하이데거는 그동안 존재론이 존재는 잊은 채, 존재자의 문제만 다뤄 왔고 그것이 전통으로 자리 잡아 잘못 이해하게 만들었다고 생각했어.

에헴!

존재론

바로 저게 문제야!

과거부터 오늘날까지 이어져 내려온 것을 전통이라고 해.

전통 놀이, 전통 문화 같은 거?

응. 하지만 전통이라 해서 모두 옳은 것은 아니야.

그래?

썩 나가거라. 아들 못 낳는 며느리는 필요 없다.

옛날 조선 시대에는 며느리가 아들을 낳지 못하면 쫓겨나거나 설움을 당했어.

흑흑!

'남자는 하늘, 여자는 땅.' 이라는 말처럼 여자는 남자에게 순종하며 살아야 했지.

야, 술 가져와!

네!

이런 남녀 차별의 전통으로 딸을 임신했을 경우 낙태를 하는 일도 종종 있었어.

아들이 아니니까 낳지 않겠어요.

물론 요즘에는 이런 일이 많이 줄어들었지. 모두 잘못된 전통을 바로잡으려는 노력이 있었기에 가능한 거야.

잘 키운 딸 하나, 열 아들 안 부럽다는 말이 있잖아요.

그, 그런가요?

하이데거는 이렇게 잘못된 존재론의 전통을 바로잡아야 한다고 했어.

멋진데!

그는 그동안 존재라는 개념을 잘못 알고 있는 사람들을 일깨웠지.

존재가 뭔지 모르는 사람이 있나?

그러게 말야.

노, 노!

존재에 대해 잘 알고 있다는 생각부터 버리고 존재에 대한 물음부터 다시 시작해 보세요.

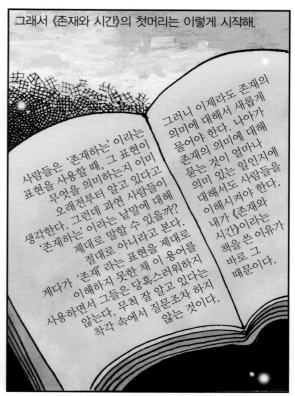

그래서 《존재와 시간》의 첫머리는 이렇게 시작해.

사람들은 '존재하는' 이라는 표현을 사용할 때, 그 표현이 무엇을 의미하는지 이미 오래전부터 알고 있다고 생각한다. 그런데 과연 사람들이 '존재하는' 이라는 낱말에 대해 제대로 말할 수 있을까? 절대로 아니라고 본다. 게다가 '존재' 라는 표현을 제대로 이해하지 못한 채 이 용어를 사용하면서 그들은 당혹스러워하지 않는다. 무척 잘 알고 있다는 착각 속에서 질문조차 하지 않는 것이다.

그러니 이제라도 존재의 의미에 대해서 새롭게 물어야 한다. 나아가 존재의 의미에 대해 묻는 것이 얼마나 의미 있는 일인지에 대해서도 사람들을 이해시켜야 한다. 내가 《존재와 시간》이라는 책을 쓴 이유가 바로 그 때문이다.

모두가 "예."라고 할 때, "아니오."라고 대답하는 것은 쉬운 일이 아니지.

지금까지 위대한 철학자의 존재론에 대해 배웠습니다.

2,500여 년 동안 위대한 철학자들이 써 내려온 존재론의 역사를 하이데거가 비판했기 때문에 용감하고 위대한 철학자라고 하는 거야.

그들의 주장은 잘못되었습니다.

뭐라고?

웅성

웅성

존재에 대한 물음부터 다시 시작해야 합니다!

오오

위대한 철학자들의 이론을 무시하는 건가요?

아닙니다. 다만 잘못되었으니 다시 시작하자는 거지요.

이 점이 바로 사람들이 하이데거에 열광하고 칭찬하는 이유야.

대단한 용기야!

수천 년 동안 이어져 온 이론에 이의를 제기하다니.

짝 짝

그러면 이쯤에서 이런 궁금증이 생길 거야.

존재? 존재자? 이게 무슨 의미지?

도대체 존재를 어떻게 정의했기에 존재와 존재자를 착각했다는 거지?

으.

괜찮아?

인간과 존재를 보는 관점이 뭐가 문제라는 거지?

으악, 머리 아파!

그래도 포기하면 안 돼!

지금 당장은 머리가 아프겠지만 차근히 배우다 보면 이해할 수 있을 거야.

정말?

그럼. 같이 공부해 보자.

우선 존재와 존재자의 뜻이 무엇인지를 살펴봐야 해.

존재? 존재자?

존재? 존재자

그 뜻을 모르면 앞으로 내가 하는 말을 알아들을 수 없단다.

'신이 **존재**한다고 생각해?', '이 세상에 **존재**하는 것 중에서 그 건물이 가장 높아.', '동물과 달리 인간은 이성적인 **존재**야'.

'존재한다.', '존재하는', '존재하는 것' 과 같이 우리는 '존재' 라는 표현을 자주 사용하지.

이 원반을 물어 와서 너의 존재를 증명해 봐!

왈 왈

이 '존재' 라는 단어는 독일어 'Sein(자인)' 을 우리말로 옮긴 거야.

나는 이곳에 자인(Sein)해!

외국어를 우리말로 옮길 때는 그 의미를 정확하게 담아야 하는데 꼭 맞아 떨어지는 단어가 없을 때가 있지?

이것 참 번역하기 애매하네.

'Sein (자인)' 도 마찬가지야.

여기서 '무엇'에 해당하는 것을 바로 '존재자'라고 해.

존재자는 '존재하는 것', 즉 '있는 것'을 뜻해.

앞에서 말한 볼펜을 예로 들어 볼까?

응!

'저기에 볼펜이 존재한다.'는 '저기에 볼펜이 있다.'라는 표현으로 바꾸어 쓸 수 있겠지?

책상 위에 볼펜이 있어.

그럼 저기에 '있는 것'은 뭘까? 당연히 볼펜이겠지? 존재하는 것, 즉 존재자는 바로 볼펜이야.

응, 존재자가 뭔지 알 것 같아.

존재자

'저기에 책이 존재한다.'라고 하면, 여기에서 존재자는 책이지?

맞아!

존재자

'존재하는 것'들은 이 세상에 수없이 많아.

존재하는 것에는 어떤 게 있을까?

보, 볼펜?

맞아. 그것들은 볼펜, 책, 휴대 전화처럼 우리가 사용하는 물건일 수도 있고, 강아지, 나무, 바다처럼 생물이나 자연일 수도 있고, 친구, 엄마처럼 사람일 수도 있어.

우아, 엄청 많구나!

그리고 신(神)처럼 보이지 않는 것일 수도 있지.

시, 신도 존재자야?

우리는 존재자들에 둘러싸여 있는 셈이네?

그렇지!

하지만 그렇다고 해서, 세상의 모든 존재자들을 만나거나 사용하는 것은 아니야.

그게 무슨 말이야?

잘 들어 봐!

서울에 있는 내가 강원도에 있는 설악산이라는 존재자를 만나지는 못하겠지?

설악산에 가지 않는다면 말이야!

서울

설악산

어디에 있느냐, 어떤 사람들을 만나 어떤 이야기를 하느냐에 따라 만나는 존재자들이 정해져 있어.

아저씨, 아이스크림 주세요.

옜다.

예를 들어 화가라면 붓, 물감, 미술관, 다른 예술가와 같은 존재자들과 관계 맺을 것이고,

학생이라면 책, 학교, 선생님 같은 존재자들과 만나겠지?

수업 준비하자!

그래서 하이데거는 이렇게 이야기했어.

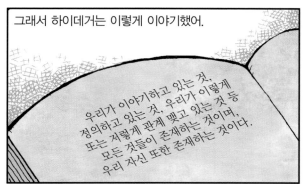

우리가 이야기하고 있는 것, 우리가 이렇게 정의하고 있는 것, 우리가 이렇게 관계 맺고 있는 것 등 또는 저렇게 관계 맺고 있는 것이며, 모든 것들이 존재하는 것이다. 우리 자신 또한 존재하는 것이다.

그럼 존재와 존재자는 어떻게 다른 것일까?

앞에서 내 이야기에 귀 기울인 친구들은 눈치 챘을 거야.

난 모르겠어.

'저기에 볼펜이 있다.'라고 말할 때, '볼펜(존재자)'과 '있다(존재한다)'는 분명 다르다는 것을 말이야.

척

존재자

존재한다

그러나 둘이 다르다고 해서 원수처럼 등을 돌리지는 않아.

볼펜

있다

흥

흥

다르지만 함께 묶여 있다고 봐야지.

척!

싸우지 마!

'저기에 볼펜이 있다.'고 이야기하지, '있다(존재한다)'만 말하지 않잖아?

저기에 볼펜이 있다!

수업 중에 누군가 갑자기 문을 열고

드르륵

있다! (존재한다)!

? ? ? ?

이렇게만 외치고 나가 버리면 교실 안에 있던 사람들은 아마도 황당해 하겠지?

뭐야?

미, 미쳤나 봐!

으아, 부끄러워!

이런 의미에서 하이데거는 '존재는 존재자의 존재, 존재자를 존재자로서 규정하는 바로 그것, 존재자가 이미 그것으로 이해되어 있는 바로 그것이다.' 라고 말했어.

으아, 하이데거가 정리하니까 더 어려워!

??

하하

다시 말하면 '있음은 볼펜의 있음' 이라는 거지.

내가 저기에 있는 볼펜과 만날 수 있는 이유는 뭘까?

저기에 볼펜이 있으니까!

맞아. 바로 저기에서 볼펜이 그 모습을 나에게 드러내 보이기 때문에, 즉 저기에 있기 때문이야.

응!

볼펜이 저기에 없다면 어떻게 '저기에 볼펜이 있음'을 알아차리고 '볼펜이 있다.'고 말하거나 사용할 수 있겠어?

당연히 볼펜이 없으면 볼펜이 있다고 말 못 하지.

세상에 곤충들이 존재하지 않았다면 파브르가 과연 곤충에 대해서 연구할 수 있었을까?

곤충기를 써야 하는데 곤충들이 없네!

이렇듯 존재한다는 것은 굉장히 중요하고도 의미 있는 일이야.

그렇구나!

존재하기 때문에 우리는 강아지와 놀 수 있고, 시계를 사용할 수도 있고, 꽃을 볼 수도 있어.

옆에 있는 친구와 컴퓨터 게임을 할 수 있는 것도 바로 나와 친구, 컴퓨터 게임이 존재하기 때문에 가능한 거지.

난 폭풍저그 마틴이야!

난, 테란황제 존시다!

그런데 그동안 철학자들은 '존재한다.' 는 것의 의미를 묻지 않았어.

'존재한다는 것' 이 무엇인지 궁금하지 않으세요?

아니, 그게 왜 궁금해?

볼펜, 강아지, 사람 등의 존재자들이 존재한다는 것은 무척 당연하니까.

꽃은 꽃이요, 볼펜은 볼펜이로다!

....

그리고 정의할 수도 없다고 생각했지.

'존재한다는 것' 을 따져 묻는 것은 의미가 없어.

맞아, 어차피 정의할 수 없는걸.

하이데거는 철학자들의 이런 태도가 아주 먼 오랜 옛날, 고대 그리스에서부터 시작되었다고 했어.

쳇, 모두 플라톤과 아리스토텔레스 때문이야!

?

바로 플라톤과 그의 제자인 아리스토텔레스 때부터 존재론의 첫 단추가 잘못 끼워졌다는 거야.

당신들이 존재론의 첫 단추를 잘못 끼워서 이렇게 됐잖아요!

우리가 뭘 어쨌다는 거야?

단추? 그게 뭔가?

옷을 입을 때 처음부터 단추를 잘못 끼우면 계속 잘못된 구멍에 단추를 끼우겠지?

잘못을 알아차리기 전까지는 말이야.

이 점에 대해 하이데거는 이렇게 말했어.

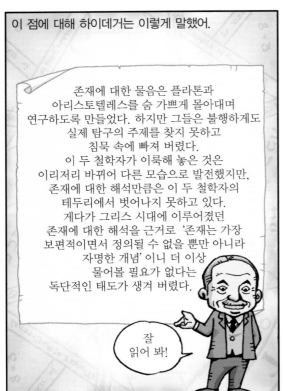

존재에 대한 물음은 플라톤과 아리스토텔레스를 숨 가쁘게 몰아대며 연구하도록 만들었다. 하지만 그들은 불행하게도 실제 탐구의 주제를 찾지 못하고 침묵 속에 빠져 버렸다. 이 두 철학자가 이룩해 놓은 것은 이리저리 바뀌어 다른 모습으로 발전했지만, 존재에 대한 해석만큼은 이 두 철학자의 테두리에서 벗어나지 못하고 있다. 게다가 그리스 시대에 이루어졌던 존재에 대한 해석을 근거로 '존재는 가장 보편적이면서 정의될 수 없을 뿐만 아니라 자명한 개념'이니 더 이상 물어볼 필요가 없다는 독단적인 태도가 생겨 버렸다.

잘 읽어 봐!

여기서 독단적인 태도란, 자기의 생각에 따라서 멋대로 판단하는 태도를 말한단다.

당신들은 독단적입니다!

우리가 뭘 어쨌다고 아까부터 자꾸 그러나….

플라톤, 아리스토텔레스 그리고 그 이후의 데카르트, 칸트, 헤겔, 후설 등 그야말로 유명한 철학자들을 독단적이라고 몰아붙이다니,

데카르트, 칸트, 헤겔, 후설, 당신들도 마찬가지야!

크윽, 저 녀석 뭐야?

엄청난 배짱이지?

그러게 말이야.

하이데거는 이렇게 말했어.

장미는 이유 없이 핀다.

장미가 피어 있다는 것은 신비하고도 아름다운 일이야.

아, 장미는 정말 아름다워.

그는 장미가 스스로 보여 주는 아름다움에 감탄하며 말했어.

우리는 '장미의 있음' 그 자체를 봐야 해.

오, 장미네.

음, 장미는 왜 피는 것일까?

장미는 어떻게 존재하게 되었을까?

시든 장미는 왜 여전히 장미인 거지?

장미의 본질이 뭘까?

존재에 대해 그런 것은 따져 묻지 말아야 합니다.

철학자는 다만 장미라는 존재자가 들려 주는 소리에 귀 기울이고, 드러나는 존재의 의미를 해석하면 됩니다.

흠, 흠.

어흠.

하이데거는 플라톤 이전 고대 그리스 인들의 경우

존재의 소리에 귀를 기울일 줄 아는 태도를 갖고 있었다고 이야기해.

꽃아, 뭐라고?

하지만 플라톤 때부터 이런 태도는 바뀌었지!

세상의 모든 만물들이 존재하게 된 원인은 무엇일까?

세상의 존재자들은 왜 없어지고 변하는 것일까?

혹시 이런 변화에 어떤 배경이 있지는 않나요?

….

두둥!!

하이데거가 존재론의 역사를 잘못 쓴 첫 타자로 지목한 사람은 플라톤이야. 그는 이데아를 세상 모든 만물들이 생겨난 원인이자 본질로 생각했어.

이데아(Idea)는 이념, 관념, 의식, 내용을 말해.

당신이 잘못 끼워진 첫 단추예요!

그리고 플라톤은 이데아야말로 참된 존재라고 생각했어. 시간이 흘러도 변하지 않고 영원히 존재하는 완벽한 존재라는 거지.

이데아야말로 참된 존재야. 영원히 변하지 않아!

이데아

세상에 있는 모든 것들은 이데아를 흉내 낸 것에 불과해.

어? 그럼 모든 것이 가짜라고요?

그렇지!

나무, 돌, 볼펜, 강아지 등 모든 것들은 진짜로 존재하는 게 아니라는 거야.

잘 모르겠어!

의자를 예로 들어 볼까?

네!

이 의자들을 봐. 모양이나 색깔, 재질이 제각각이지?

그러나 모양이나 재질과 상관없이 이것들이 모두 의자인 이유는 의자라는 이데아가 있기 때문이야.

의자의 이데아
: 사람이 걸터앉는 데 쓰는 기구

하지만 우리가 보고 있는 이 의자들은 진짜가 아니야. 단지 의자의 이데아를 따라 했을 뿐이거든.

음….

그러므로 현실의 세계에 있는 의자가 아니라, 이데아의 세계에 있는 의자의 이데아만이 진짜인 거지.

의자 : 사람이 걸터 앉는 데 쓰이는 기구

가짜   진짜

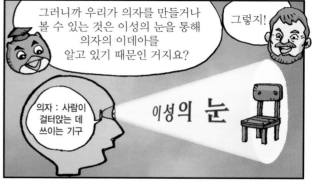

그러니까 우리가 의자를 만들거나 볼 수 있는 것은 이성의 눈을 통해 의자의 이데아를 알고 있기 때문인 거지요?

그렇지!

의자 : 사람이 걸터앉는 데 쓰이는 기구

이성의 눈

그러나 하이데거는 존재란 스스로 나타나기도 하고, 때로는 자신의 모습을 감추는 신비로운 것이라 생각했어.

존재란 신비로운 거야.

존재

그렇기 때문에 존재란 인간의 이성으로 인식하고 규정할 수 없다고 봤지.

이데아 같은 것으로 존재를 규정하는 것은 잘못된 겁니다.

여기서 인식한다는 것은 '무언가를 판단해서 안다.'는 뜻이야.

우리가 무엇을 인식하기 위해서는 항상 '무엇', 즉 대상이 있어야 해.

응?

예를 들어, '저기 꽃이 있네.' 하고 인식한다면 꽃이 바로 인식의 대상이지.

저기 꽃이 있네!

당신이 내 이름을 불렀을 때 비로소 나는 꽃이 되었습니다.

플라톤은 이데아라는 '존재'를 마치 사물처럼 눈으로 보고 파악할 수 있는 '존재자'로 그렸어.

이데아

흠.

저기 이데아가 보이지?

존재는 그런 게 아니에요.

헉!

펑

플라톤은 '존재'를 이성으로 파악할 수 있는 '존재자'로 둔갑시켜 버린 거지.

플라톤의 이런 생각은 그의 제자인 아리스토텔레스로 이어졌고,

받아!

이데아

신을 완전한 존재라고 믿었던 중세 시대까지 이어졌어.

중세 철학자들은 신이 내린 최고의 능력인 이성을 통해 신의 존재 사실을 알 수 있다고 생각했고, 이를 증명하기 위해 많은 노력을 했지.

우리에게 이성이 있는 이유는 신이 우리에게 그것을 줬기 때문입니다.

네, 신이라는 존재를 아는 것 자체가 신이 있기 때문이죠.

중세 시대가 지나고, 근대로 넘어오면서 데카르트라는 철학자가 나타나자,

안녕, 나는 데카르트야!

르네 데카르트*
1596~1650

*르네 데카르트 - 프랑스의 수학자이자 철학자.

인간의 이성은 이전보다도 더 큰 영향력을 갖지.

이제 신앙을 밀어내고 이성을 세워야 합니다.

데카르트는 근대 철학의 아버지라고 불릴 만큼 엄청난 사람이란다.

근대 철학의 아버지

수학자

철학자

내가 좀 유명해!

그는 이성을 지닌 인간을 최고의 위치로 끌어올렸어.

인간이 최고!

이성

그가 살았던 시대는 중세 시대가 무너지고 근대로 넘어가는 과도기였지.

혹시 중세 시대에 있었던 종교 재판이나 마녀사냥에 대해 들어 본 적 있니?

꺄악!

교회의 권위에 도전하거나 다른 의견을 내는 사람들을 마녀로 몰아 불에 태워 죽였던 일이야.

꺄악, 난 아무 잘못 없어요!

신의 권위에 도전하는 어떤 것도 허락하지 않았기 때문에 벌어진 일들이지.

진리가 뭔지, 어떻게 살아야 하는지 등 모든 것을 그저 신에게 맡기고 따르기만 하면 되는 시대였어.

모든 것은 신이 가르쳐 주실 거야.

과학도 종교에서 벗어날 수 없었단다.

지구가 태양 주위를 돈다고 주장했던 갈릴레이가 재판을 받았던 것도

도대체 지구가 태양을 돌면 안 되는 이유가 뭡니까?

바로 신의 피조물*인 인간이 살고 있는 지구를 우주의 중심에 놓지 않았기 때문이야.

신 때문이다!

헉!

*피조물 – 조물주에 의해 만들어진 모든 것

지구가 우주의 중심임을 인정했으므로 무죄다.

쳇, 그래도 지구는 태양 주위를 돈다고!

탕 탕

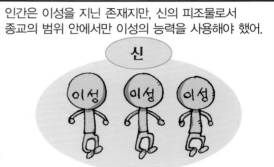
인간은 이성을 지닌 존재지만, 신의 피조물로서 종교의 범위 안에서만 이성의 능력을 사용해야 했어.

신

이성 이성 이성

하지만 르네상스와 종교 개혁을 거치면서 교회의 권위가 떨어지고,

권위

신이 사람들의 삶에서 멀어지면서 인간은 신으로부터 독립할 수 있었지.

신이고 뭐고 다 필요 없어!

마치 어린아이가 부모로부터 독립한 것처럼 말이야.

엄마고 뭐고 다 필요 없어!

부모로부터 독립하면 당분간은 잔소리를 듣지 않고 자유롭게 살 수 있기 때문에 만세를 부르겠지.

이제 나는 누구보다 자유로워!

그런데 식사, 빨래, 잠자리 등 모든 것을 혼자 해결해야 한다고 생각해 봐. 얼마나 불안하겠어?

그런데 당장 오늘 밤은 어디서 자지?

데카르트가 살았던 시대도 마찬가지였어.

이제 교회에서 해방이다.

이젠 자유라고!

사람들은 신으로부터 자유로워졌지만, 더이상 진리가 뭔지, 세상을 어떻게 살아야 하는지 설명할 수가 없었지.

이젠 뭘 믿고 살아가야 하지?

가뭄이나 폭풍이 올 때는 어떡하지?

저, 저건 신의 분노가 아닐 거야.

데카르트는 무엇보다 절대적으로 확실한 지식, 즉 진리를 찾아야겠다고 결심했어.

진리야, 어디 있니?

그래서 그는 우선 모든 것을 의심하는 방법을 택했지.

일단, 의심하고 보는 거야.

예를 들어, 장미가 빨간색이라는 것이 확실할까? 아니야. 사람마다 느끼는 빨간색이 달라.

1+1=2는 어떨까? 원래 1+1=3이 아닐까?

1+1=3이야.

1 더하기 1은 3··· 아니 2였나?

그는 이런 식으로 모든 것을 의심하고 부정했지.

두리번

사람도, 거리도, 도시도 가짜야.

그럼, 이 세상에는 확실하게 존재하는 게 아무것도 없다는 말인가?

이렇게 고민에 빠져 있던 차에 그는 엄청난 발견을 했어.

뭘 발견 하셨어요?

그것은 이런 고민을 생각하고 있는 바로 '자기 자신'이었지.

나! 나는 존재하는 것인가?

모든 것을 다 의심하고 부정해도 생각하고 있는 '나 자신'은 부정할 수 없다는 거야.

내가 존재한다는 사실은 부정할 수 없잖아?

존재와 시간

그래서 데카르트는 이 발견을 이렇게 표현했지.

나는 생각한다. 고로 존재한다.

한마디로 '생각하니까 내가 존재한다는 거야.' 그런데 하이데거는 이런 데카르트의 주장이 탐탁지 않았어.

그래, 이거야말로 진리야!

흥, 그게 무슨 말도 안 되는 소리야?

존재하니까 생각할 수 있는 것인데, 데카르트는 이것을 반대로 여겼다는 거지.

인간이 없다면 어떻게 생각이란 것을 할 수 있겠어?

그는 데카르트가 '나는 생각한다.'에만 초점을 맞추었을 뿐,

나는 생각한다.

고로 나는 존재한다.

정작 '나는 존재한다.'에 대한 의미는 캐묻지 않았다고 비판했어.

당신이 발견한 건 반쪽짜리 진리야!

그, 그렇게 말할 것까지는 없잖아.

데카르트는 '나는 생각한다. 나는 존재한다.'라는 말로, 인간의 정신(이성)을 육체로부터 떼어 냈어.

정신

육체

나는 인간을 정신과 육체라는 두 개의 영역으로 나눈 거야.

그리고 인간의 육체를 물질 세계의 범위에 포함시켜 버렸지. 여기서 물질 세계란, 자연 세계를 말하는 거야.

물질(자연) 세계

인간의 육체

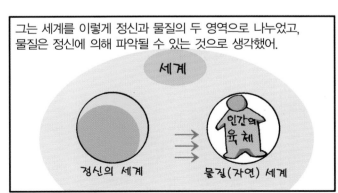

그는 세계를 이렇게 정신과 물질의 두 영역으로 나누었고, 물질은 정신에 의해 파악될 수 있는 것으로 생각했어.

세계

정신의 세계

인간의 육체

물질(자연) 세계

데카르트가 몸으로부터 정신을 따로 떼어 냈던 건 확실한 지식을 추구하기 위해서였지.

정신

흐흐, 이게 다 진리를 찾기 위해서야!

눈, 귀, 혀, 피부 등을 통해 경험하는 것들은 확실한 지식이 될 수 없거든.

누구나 다르게 느끼니까 말이지.

예를 들어, 똑같은 사과를 먹어도 어떤 사람은 맛있다 하고, 어떤 사람은 맛 없다 하지.

우아, 맛있다!

윽, 사과 맛이 왜 이래?

게임도 마찬가지야. 닌텐도가 재미있다고 느끼는 사람이 있는가 하면 재미없다고 느끼는 사람도 있거든.

역시 게임은 닌텐도야.

무슨 소리. 플레이스테이션이 더 재밌지.

또 우리는 미역을 먹을 수 있는 음식으로 여기지만

미역국 끓여 놨다.

엄마, 최고!

어떤 나라에서는 미역을 먹을 수 없는 음식으로 여기기도 해.

미역은 목걸이로 딱이야!

경험으로부터 얻은 지식은 이렇게 제각각이어서 믿을 수가 없다는 거지.

미역은 음식이야!

무슨 소리. 미역은 목걸이야!

결국 데카르트는 수학 공식처럼 이성의 능력으로 알아낼 수 있는 지식만이 참된 지식이라고 여겼어.

가장 진정한 학문은 수학이야.

윽, 수학!

수학

그의 이론에 따르면 저녁 노을이나 아름다운 산과 들, 공기와 같은 자연은 우리에게 아무런 의미가 없지.

우아, 아름답다! 진짜 기분 좋아요.

그런 것은 쓸모없는 거야.

그는 이성의 능력으로 실험이나 증명을 통해 정확하고 객관적인 자료를 만들어야 하며 법칙을 찾아내는 일에 몰두해야 한다고 했어.

자연 법칙은 실험을 통해 찾아낼 수 있어!

공기를 이루고 있는 성분들을 실험을 통해 찾아내고 산소(O_2), 수소(H_2), 이산화탄소(CO_2) 등을 기호로 표시하는 것 말이야.

자연 법칙도 공식으로 만들자! 원리를 찾아 기호로 표시해야지!

데카르트 이후 많은 철학자들이 과학이나 수학처럼 객관적으로 증명할 수 있는 규칙들을 만드는 일에 몰두했어.

과학적인 방법으로 문제를 설명해 보겠어.

난 수학적으로 이 문제를 풀이해 보겠어….

쉽게 말해 철학의 문제들도 과학적인 방법으로 다뤄야 한다는 거지.

신이나 인간이 어떤 존재인지, 인간이 어떻게 살아야 하는지 등의

'신은 누구인가?'를 과학적으로 증명해 볼까?

어떻게?

철학적인 질문들은 객관적으로 증명할 수 없기 때문에,

음….

?

이런 질문을 하는 것조차 쓸데없는 짓이라고 주장하는 실증주의까지 등장했지.

그런 것은 쓸데없는 일이야.

….

이런 실증주의에 반대해서 후설이 현상학을 주장했는데, 하이데거는 후설의 현상학에 많은 영향을 받았어.

이분이 나의 스승인 후설이야.

어쨌거나 과학 기술이 발전하는 데 가장 큰 기여를 한 사람이 데카르트라고 해도 과언이 아니야.

나한테 고마워하라고!

사람들은 이성의 능력으로 무엇이든 할 수 있다는 자신감을 갖고

가뭄을 해결하기 위해 댐을 건설하면 어때?

좋은 생각이야!

과학 기술을 발전시키면서 자연을 정복해 나갔거든.

기술이 풍요로운 삶을 선물할 거라 기대하면서 말이야.

이제 물 걱정 안 해도 되겠다!

기술이 발전하면서 예전에는 하나하나 손으로 만들던 것들을 공장에서 대량으로 만들어 냈지.

돼지나 소, 닭과 같은 가축들의 사육장이 만들어지면서 싼값에 고기를 먹을 수 있게 되었어.

일 년에 한 번 먹던 고기를 자주 먹을 수 있어 신나!

전기가 발명되어 밤에도 밝은 조명 아래 활발한 활동이 가능해졌고

이게 밤이야, 낮이야?

기차나 자동차로 먼 거리를 이동할 수 있게 되었어.

세상 참 좋다.

의학 기술의 발전으로 감기만 걸려도 죽기도 했던 시대에서는 벗어났지.

예전에는 감기 때문에 죽는 사람이 많았대.

이성의 능력으로 인간 세상은 굉장한 발전을 이룩했단다.

그런데 말이야. 풍요로운 환경 속에서 행복해질 거라는 예상과 달리 문제점이 하나둘 나타났어.

이렇게 좋은 세상에 무슨 문제점?

공장에서 쏟아지는 폐수 때문에 물은 더러워지고,

매연 때문에 공기가 오염되었거든.

콜록 콜록!

자연이 심각하게 파괴되면서 그 피해가 고스란히 인간에게 되돌아온 거야.

더러운 물을 마시고, 오염된 공기 속에서 숨을 쉬면서

강물 마시면 큰일 나!

엄마, 배 아파!

우리 몸과 정신은 점점 상하기 시작했지.

공장에서 대량으로 생산된 물건들을 싼값에 이용할 수 있게 되었지만,

우아, 정말 싸다!

대신 공장에서 기계처럼 일을 해야 했어.

쉬지도 못하고 일만 하려니 너무 힘들어.

미국의 유명한 배우 찰리 채플린*이 만든 '모던 타임즈'라는 영화를 보면,

찰리 채플린*
1889~1977

공장 노동자들은 아침부터 밤까지 컨베이어 벨트**에서 운반된 기계의 나사를 반복해서 죄는 장면이 나와.

*찰리 채플린 – 런던 출생. 1910년 미국으로 건너가 풍자 희극인이 됨. 그의 영화에 등장하는 가난하고 불행한 사람들은 웃음 속에 감동을 주었다.   **컨베이어 벨트 – 물건을 연속적으로 운반하는 띠 모양의 운반 장치.

이들은 톱니바퀴처럼 정확하고 쉼없이 일해야 했지.

철컹
철컹

하지만 하루 종일 일해도 월급은 조금밖에 받지 못 했어.

고작 이거야?

흥!

부자들은 더 많은 돈을 벌었지만,

대부분은 가난에서 벗어날 수 없었지.

오늘도 빵으로 때우자!

고기 먹고 싶어. 흑.

그런데 이보다 더 최악의 상황이 벌어져.

더 나빠질 것이 있다고?

바로 제1차 세계 대전과 제2차 세계 대전이야.

인간에게 편리함을 가져다주는 데 사용되어야 할 기술이 악용된 거지. 이 전쟁을 치르기 위해 살상 무기들이
대량으로 만들어졌고 수많은 사람들이 한꺼번에 죽었어.

특히 하이데거의 조국인 독일이 이 끔찍한 전쟁을 일으킨
나라였지.

게르만 족의
위대함을 보여
줍시다!

하이,
히틀러!

결국 두 차례 전쟁에서 모두 패하기는 했지만…

하이데거는 세상의 위기를 온몸으로 느끼면서
살았어. 그가 《존재와 시간》을 발표한 때가 제1차
세계 대전이 끝나고 나서 10년쯤 뒤였지.

연합군에 패배한
독일은 지금 패전국*
으로 전락할 운명에
처했습니다.

덜
덜

＊패전국 – 싸움에 진 나라.

제1차 세계 대전이 끝난 뒤 유럽에는 공산주의
사상이 퍼졌는데, 독일도 예외는 아니었단다.

동무!
공산주의에 대해
배워 볼 생각
없나?

그,
그럴까?

공산주의가 사람들 사이에 급속하게 퍼지면서 위기를 느낀
극우** 집단들과 서로 충돌하기도 했어.

저리 꺼져,
이 공산주의자
들아!

왜 공산주의를
받아들이지
않는 거야?

계급 없는
평등한 사회를
만들자는
것뿐이야.

그게 말이
되냐고!

＊＊극우 – 극단적으로 보수주의적이거나 국수주의적인 성향.

존재와 시간

극우 집단들은 독일 민족과 국가를 위해서는 개인이 기꺼이 희생해야 한다는 주장을 내세웠는데,

나라가 있어야 내가 있는 거야!

이런 사상은 나중에 히틀러의 등장으로 더욱 힘을 얻었지.

아돌프 히틀러*
1889~1945

끔찍했던 전쟁에서 살아남은 사람들은 불안한 마음에

어떻게 살아야 하지?

무엇을 믿어야 할까?

＊아돌프 히틀러 – 독일의 정치가. 나치의 총통(대통령 겸 총리)이었다.

극단적인 사상들을 쉽게 받아들였고, 결국 이리저리 휩쓸려 다녀야만 했어.

난 공산주의가 마음에 들어.

난 변화가 마음에 들지 않아.

....

나는 뭐가 뭔지 모르겠어.

하이데거는 《존재와 시간》에서 이런 상황에 대해 직접 말하지는 않았지만,

존재와 시간

책의 내용을 살펴보면 그가 얼마나 위기의식**을 느꼈는지 알 수 있어.

덜덜

＊＊위기의식 – 인간 본래의 가치나 질서를 잃는 데서 느끼는 불안이나 절망.

그는 이성과 인간을 중심으로 써 온 존재론의 역사가 이렇게 무시무시한 결과를 불러왔다고 믿었지.

벌떡

이 모든 것은 존재론이 이성 중심으로 시작되었기 때문이야.

이 위기에서 벗어나려면

뚝 딱

뚝 딱

그동안 잘못된 존재론의 역사를 거슬러 올라가

타임머신을 타고 존재론의 처음으로 돌아가야 해!

존재에 대한 물음부터 다시 시작해야 한다고 생각했지.

처음부터 다시 시작하는 거야!

《존재와 시간》은 어떤 책일까? 39

이것이 바로 하이데거가 《존재와 시간》을 쓴 이유야.

그렇구나.

《존재와 시간》은 전체 2부 6편 중 1부 1편과 2편까지만 실려 있다고 했지?

3편은 적절한 언어를 찾기 힘들어 따로 구성했다고 한 것, 기억나?

물론!

2부에서 다루고자 했던 내용들은 나중에 다른 책들에 담았지.

앞에서 이미 이야기했듯이 이 책은 미완성이야.

하이데거는 이 책에서 존재의 의미를 탐구하는 것을 목적으로 삼았지만,

존재란 무엇인가?

존재의 의미를 이해하고 물을 수 있는 존재자,

존재의 의미를 이해하고 물을 수 있는 존재자는 무엇일까?

인간!

정답!

즉 인간 존재에 대한 탐구에 머무르고 말았어.

비록 하이데거가 목표했던 것을 이 책에서 다 풀어내지는 못했지만,

시간과 존재를 설명할 언어가 없어!

그는 우리에게 인간이 몸은 없고 이성만 있는 반쪽짜리가 아니라고 말했어.

인간은 몸과 이성 둘 다 가지고 있는 존재야.

그리고 어떤 삶이 참된 삶인지, 자신의 의지대로 결정하면서 사는 것이 왜 중요한지 고민하라고 했지.

참된 삶이란 뭘까?

내 뜻대로 살아도 될까?

그래, 그렇게 고민해 봐야 해!

그리고 온몸으로 열심히 살아야 한다는 메시지를 전했어.

자신이 결정한 것에 최선을 다해야 해.

존재와 시간

많은 정신적인 스트레스와 고민을 안고
살아가는 현대 사람들에게 이렇게 말했지.

네 삶이잖아. 너에게 주어진,
하나뿐인 삶. 다른 사람이 대신
살아 줄 수도 없단다.

애야, 크면
의사가 되렴!

아니다.
판사가
돼야지.

과학자가
되는 게
어떻겠니?

그러니 네 스스로
결정하면서
살아야 하지
않을까?

그래. 나는
축구 선수가
되겠어!

이보다 더 큰 희망의 메시지가 있을까?

너무 어려워서
절망했었는데
사실은
힘을 주는
책이었구나!

그럼!

어서 《존재와
시간》에 대해
알아보고 싶어!

잠깐!

응?

그가 희망의 메시지를 어떻게 전달하는지 살펴보기 전에 먼저
이 책을 쓴 하이데거는 어떤 사람인지 살펴보자.

내가 어떤 사람이고
어떻게 살아왔는지
알면 《존재와 시간》을
읽는 데 도움이
될 거야.

자, 그럼
출발해
볼까?

응!

하이데거가 말하는 철학이란?

▲ 하이데거

하이데거의 《존재와 시간》의 내용을 따라가다 보면 철학이라는 용어가 많이 등장합니다. 과연 하이데거에게 있어서 철학이란 무엇일까요?

먼저 철학이라는 낱말의 의미부터 살펴봅시다. 오늘날 우리가 사용하고 있는 철학이라는 말은 고대 그리스 어의 '필로소피아(philosophia)'에서 비롯되었는데, 이는 지혜를 뜻하는 단어인 sophia(소피아)와 사랑을 의미하는 단어인 philos(필로스)가 합쳐진 것입니다. 그러니까 철학이란 '지혜에 대한 사랑'이라는 뜻이지요.

지혜를 사랑한다는 것은 세계와 인간, 인간의 삶 등에 관련한 지혜에 관심을 갖고 물음을 던지며 이에 대해 탐구하는 것을 의미합니다. 수많은 철학자들은 이 지혜를 구하고자 나름의 방법으로 탐구해 왔습니다. 때문에 철학의 정의라든지 내용, 연구 방법은 철학자들마다 다를 수밖에 없습니다.

하이데거의 경우 철학이란 물음을 던지는 것이라고 했습니다. 그것도 '무엇'에 대한 물음이 아니라 '왜'에 대한 물음이라고 했습니다.

"인간이란 무엇이라고 생각해?", "꽃은 무엇이지?"라는 물음은 그것의 본질에 대해 묻는 것입니다. 그러나 하이데거는 인간이 왜 있는지, 꽃이 왜 있는지, 또 '있다'는 것이 무슨 의미인지에 대해 묻습니다. 한마디로 말해서 존재의 의미와 진리에 대해 묻는 것이 바로 하이데거가 말하는 철학입니다.

많은 사람들이 철학을 공부하는 것을 철학에 입문한다고 이야기합니다. 바깥에 있는 내가 문을 열고 집안으로 들어가듯이 문을 통해 철학이라는 개별 세계 안으로 들어간다는 거지요. 그러나 하이데거는 우리의 삶 자체가 철학이므로 철학으로 들어가는 문이 따로 있지 않다고 말합니다. 또 누구라도 철학을 할 수 있다고 말했습니다.

인간은 자기 자신이나 자신의 삶에 대해 묻고 고민하면서 존재합니다. 이를 하이데거의 표현으로 바꾸자면 실존하는 존재라는 것입니다. 때문에 비록 철학이 무엇인지 모르고 아리스토텔레스, 칸트, 헤겔 같은 철학자들에 대한 지식이 없다고 해도 사람으로 존재하는 한 철학을 할 수 있다고 하이데거는 이야기합니다.

사람들은 대개 철학이 우리 안에 있다는 사실을 잘 모르거나 굉장히 어려운 것이라고 생각해 철학으로부터 달아나려 합니다. 어떤 사람들은 이렇게 말할지도 모르겠습니다. "철학? 그거 먹고 사는 데 쓸모없잖아? 가뜩이나 바빠 죽겠는데, 무슨 철학이야."라고 말입니다. 하이데거도 이 점을 인정합니다. 그래서 그는 철학이란 "본질적으로 아무런 쓸모도 없기 때문에 하녀의 비웃음을 살 수밖에 없는 사유다."라고도 말했지요. 하지만 존재가 무엇인지, 근원이 무엇인지에 대해 생각할 만한 질문을 던지는 학문이라고 말한 대목은 자신의 삶을 돌아볼 여유 없이 바쁘게 살아가는 현대인에게 공감이 가는 부분입니다.

플라톤과 아리스토텔레스의 존재론

▲ 아리스토텔레스 흉상

앞서 하이데거가 문제를 제기했던 플라톤과 아리스토텔레스의 존재론을 살펴볼까요? 그 전에 우선 존재론이 무엇인지 알아보겠습니다. 존재론이란 '존재(있음)란 무엇일까?', '존재하는 것들은 어떤 방식으로 존재하고 있을까?' 등에 대해서 탐구하는 철학의 한 분야입니다. 존재론이라는 말은 클라우베르크(1622~1665)라는 사람이 처음으로 사용했지만, 사실 존재에 대한 탐구는 고대 그리스에서 시작됐지요.

탈레스나 아낙시메네스와 같은 철학자들이 '세상의 모든 것들이 어떻게 존재할까? 존재하는 것들의 이면에는 뭔가 다른 것이 있지 않을까?' 하는 고민을 하기는 했지만, 존재에 대해 분명한 물음을 던진 최초의 사람은 파르메니데스였습니다. 플라톤과 아리스토텔레스의 존재론을 알기 위해서는 파르메니데스의 존재론을 살펴야 합니다. 그는 존재를 '있다' 라는 말로 파악했지요. "있는 것은 있고 없는 것은 없다."고 말했습니다. 엉뚱한 말장난인 것 같지만 사실 이것은 그에게 아주 중요한 문제였습니다. '없는' 것은 있을 수 없다고 생각했기 때문입니다.

예를 들어, '교실에 선생님이 없다.' 라는 표현을 살펴볼까요? 선생님이 없다고는 하지만 사실 교실이라는 장소에 없을 뿐이지 선생님은 교무실이나 운동장 등 어딘가에 있을 것입니다. 그러니까 분명 선생님은 이 세상에 존재하고 있는 거지요. 이런 식으로 눈에 안 보일 뿐이지 모든 것이 존재한다고 생각했습니다. 파르메니데스는 사람들이 우리 눈에 보이는 세상이 전부라고 생각하며 진짜 존재를 만나려고 하지 않을까 봐 염려했던 것입니다.

그러나 파르메니데스의 존재 문제를 접한 플라톤은 심각한 고민에 빠집니다. 파르메니데스가 이 세상에 모든 것은 존재하고, 변하는 것조차 있을 수 없다며 극단적인 선언을 해 버렸기 때문입니다. 이 존재론에 따르면 운동이나 변화를 설명할 때도 문제가 생깁니다. 화살을 쏘거나 공을 던질 때 이것들이 움직이려면 빈 공간이 있어야 하지요. 비어 있다는 것은 없다는 것인데, 파르메니데스는 오직 '있다'는 사실만을 인정했기 때문에 화살이나 공은 움직일 수 없게 됩니다. 움직일 수 없으니 공의 위치도 변할 수 없겠지요.

파르메니데스의 존재론에서 운동이나 변화 문제를 어떻게 하면 설명할 수 있을까 고민하던 플라톤은 이데아를 통해 해결하려고 했습니다. 그는 세계를 눈에 보이는 현상계와 참된 실재인 이데아의 세계로 구분했지요. 플라톤이 말하는 이데아는 우리의 눈으로 볼 수 없습니다. 하지만 이 세상에 존재하는 모든 것을 존재하게 하는 것이며 참되고 완벽한 것이지요. 우리가 만지고, 보고 냄새 맡고 있는 모든 것들은 이데아를 복사해 낸 것에 불과하다는 것입니다. 한마디로 이데아는 원본이고, 현실은 복사본이라는 거지요. 비록 현실에서 사람이 나이를 먹으면 변하고, 시간이 지나면 꽃도 시들어 버리지만, 이데아의 세계에서는 변하지 않은 채 완벽하게 그대

▲ 플라톤 두상

▲ 라파엘로의 아테네 학당
르네상스 시대의 화가 라파엘로가 로마 바티칸 궁전 내부 벽에 그린 〈아테네 학당〉이다. 이 그림에는 모두 54명의 철학자, 수학자, 천문학자 등이 등장한다. 그림의 중앙 왼쪽이 플라톤, 오른쪽이 젊은 아리스토텔레스이다.

로의 모습을 유지하고 있다는 것입니다.

그렇지만 플라톤의 사상을 이어받은 제자, 아리스토텔레스는 플라톤이 이데아와 현상계를 구분하는 방식에 동의하지 않았습니다. 그는 이데아가 현실과 전혀 관계없다는 듯이 저 너머 어딘가에 따로 떨어져 존재하는 것이 아니라고 생각했지요.

플라톤의 주장에 따르면 지금 내가 손에 쥐고 있는 플라스틱 장난감은 장난감의 이데아를 복사한 가짜입니다. 진짜로 존재하는 것이 아니지요. 그러나 아리스토텔레스는 이 장난감이 플라스틱이라는 질료와 장난감의 형상이 결합된 것으로 보았습니다. 형상이란 아리스토텔레스가 플라톤의 이데아를 변형시킨 개념입니다. 이데아가 현실과 동떨어져 존재한다면, 형상은 질료 없이는 따로 떨어져 존재할 수 없다는 점이 이데아와는 다르지요. 질료는 쉽게 말하면 일종의 재료라고 할 수 있습니다. 그러니까 이 세상에 존재하는 모든 것들은 질료와 형상의 결합으로 이루어진 것입니다. 이것을 합쳐서 실체라고 부르지요.

장난감은 시간이 지나면서 때가 타기도 하고, 망가지기도 합니다. 하지만 아리스토텔레스는 더러워지거나 모양이 변했다고 해서 장난감이 아니라고 할 수 없다고 했습니다. 플라스틱이라는 질료는 충격이나 열에 의해 변하기는 하지만 장난감이라는 형상은 변하지 않는다는 거지요. 장난감을 장난감이게 하는 그것이 바로 형상입니다. 이런 점에서 보면 아리스토텔레스 역시 플라톤과 비슷합니다. 플라톤이 존재하는 것들의 변하지 않는 본질을 이데아에서 찾았듯이 아리스토텔레스는 형상에서 찾고 있기 때문입니다.

이 같은 플라톤과 아리스토텔레스의 존재론은 존재를 이성의 잣대로 파악하고 규정할 수 없다고 생각한 하이데거에게 많은 비판을 받았답니다.

▲ **아테네 학당의 플라톤과 아리스토텔레스 부분 확대** 플라톤(왼쪽)은 마치 저 너머 어딘가에 있는 이데아를 가리키는 것처럼 손가락을 위로 향하고 있다. 반면 아리스토텔레스(오른쪽)는 우리가 살고 있는 현실 세계의 중요성을 강조하듯 손가락으로 지상을 가리키고 있다.

제2장

하이데거는 어떤 사람일까?

수북하게 쌓인 낙엽을 밟으며 나무가 들려주는 생명의 속삭임을 온몸으로 느끼고,

바스락!

뒷짐을 지며 한가로이 숲속을 산책하고 있는 이 사람.

앗, 마르틴 하이데거다!

돌아봐 주세요!

어때? 온화하게 미소 짓고 있는 모습이 마치 이웃집 할아버지 같지?

안녕!

그가 산책하고 있는 이곳은 토트나우베르크 마을 뒤 산책길이야.

토트나우 베르크 마을이라.

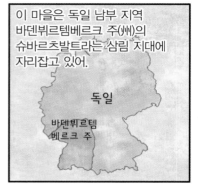

이 마을은 독일 남부 지역 바덴뷔르템베르크 주(州)의 슈바르츠발트라는 삼림 지대에 자리잡고 있어.

독일

바덴뷔르템 베르크 주

존재와 시간

슈바르츠발트는 '검은 숲'이라는 뜻이야.

왜?

숲에 들어가면 한낮에도 앞이 안 보일 정도로 나무들이 빽빽하거든.

지금이 낮이야, 밤이야?

1922년, 하이데거는 전기도 수도도 들어오지 않는 이 숲속에 작은 오두막을 짓고,

뚝 딱

뚝 딱

연구실로 사용하기 시작했어.

쿵 쿵

연구실

집 앞에 의자를 놓아두고 앉아서 아름다운 자연을 바라보면서 철학적인 문제들에 빠져들고는 했지.

그의 연구와 저술 대부분은 여기에서 이루어졌는데,

《존재와 시간》도 이곳에서 깊은 사색을 한 뒤에 나온 작품이란다.

전기도, 수도도 없는 곳에서 사람이 살 수 있다니….

왜?

텔레비전을 볼 수도 없고, 밥이나 빨래도 손으로 직접 해야 하잖아.

하긴, 존시라면 벌써 도망갔을걸?

응, 힘들고 재미도 없는데 어떻게 사냐고.

하하, 하지만 하이데거의 생각은 달랐어.

그는 산속에서의 생활을 즐겼고,

으랏차! 하루를 시작해 볼까?

기술 문명에 찌들어 기계 소음 속에서 사는 사람들이 오히려 불행하다고 생각했어.

철컹 철컹

끼이잉

아이고 시끄러워.

물질적으로는 풍요롭게 사는 것처럼 보이지만, 정작 사람들의 마음은 가난하다고 생각했지.

계속 바쁘기만 하고 형편은 나아지지 않아.

그는 1949년 발표한 〈들길〉이라는 글에서 이렇게 이야기했어.

인간은 떡갈나무와 마찬가지로 하늘이 부르는 소리에 귀를 기울이고, 자신을 감싸 안은 대지의 보호에 감사하면서 살 경우에만 어떤 조건에도 흔들리지 않는 영원에도 흔들리지 않는 견실한 생명력을 갖는다.

하이데거가 보기에 현대 사회는 조화롭게 산다는 게 무엇인지, 책임이 무엇인지를 제대로 이해하지 못하는 사회였어.

직업이나 신분, 돈을 얼마나 많이 가졌는지에 따라 사람을 평가하고,

어서 오세요.

차별하기도 해.

넌 분식이나 먹어!

윽!

혹시 생텍쥐페리의 《어린왕자》를 읽어 본 적 있어?

응.

그 책에 보면 이런 내용이 나와.

어른들은 숫자를 좋아한다. 새로 사귄 친구 이야기를 할 때 그들은 가장 중요한 것에 관해서는 물어보지 않는다.

"그 애 목소리는 어떻지?", "그 애가 좋아하는 놀이는 뭐야?", "혹시 나비 같은 것을 수집하니?" 등의 질문은 절대 하지 않는 것이다.

엄마, 저 친구가 생겼어요!

그래?

"나이가 몇이지?", "형제는 몇이야?", "체중은 얼마지?", "아버지 수입은 얼마야?" 하고 묻는다.

걔는 반에서 몇 등하는 애니?

음… 공부는 잘 못 해.

그래야 그 친구가 어떤 사람인지 안다고 생각하는 것이다.

개랑 놀지 마라.

엄마!

어때?

정말 어른들은 그래.

하이데거는 그 사람이 '누구' 인가 묻기보다

엄마, 그 친구는 생각이 깊고 마음이 따뜻한 친구야.

그래?

그가 '무엇' 을 하는지를 묻는 어른들의 태도가 사회를 지배하고 있다고 봤어.

그 애 아빠는 뭐 하는 분이시니?

엄마!

그뿐인가? 더 많은 권력을 차지하고 더 많은 것을 누리고 사용하기 위해

더 가지고 싶어!

끊임없이 물건들을 만들어 내고,

이를 위해 과학 기술의 개발에 매달린다고 생각했지.

산, 땅, 바다, 동물 등 인간 이외의 존재자들을 멋대로 이용하면서 말이야.

그런데도 인간의 욕심은 끝이 없어서 더 새로운 것을 찾고,

저기도 파 볼까?

이미 많이 팠잖아요.

서로 갈등하면서 싸움을 그치지 않는다고 생각했어.

이봐, 여기는 내가 팔 거야.

아니야, 내가 진작에 찜해 둔 곳이야!

사람들은 "더 빨리, 더 많이, 더 세련되게!" 를 외치며 풍요와 편리를 위해 과학 기술을 발전시켰지만,

부아아앙!

결국 그런 기술의 힘을 빌려 제1, 2차 세계 대전에서도 '더 빨리, 더 많이, 더 세련되게!' 사람들을 죽였다는 거지.

또 씨앗을 뿌리고 벼가 자라나는 것을 바라보면서 자연의 경이로움에 감사하고 감탄하기보다는

자연은 정말 위대해!

더 많은 곡식을 생산할 수 있도록 농약과 비료를 마구 뿌리면서 눈에 보이는 성과에 집착하기 시작했다는 거야.

어서 자라라!

치이익

이렇게 자연을 닦달한 인류는 더 많은 곡식을 생산하게 되었지만,

이야, 신난다!

땅은 이미 오염되었고

결국 사람들은 농약으로 오염된 곡식으로 식탁을 차리게 된 거지.

잘 먹겠습니다!

오늘날 우리가 사용하는 휴대 전화를 예로 들어 볼까?

휴대 전화는 왜?

휴대 전화가 있으면 친구들과 문자나 통화를 하면서 수다를 떨 수 있고, 게임도 할 수도 있어.

응, 나야! 언제 올 거야?

또 노래를 들을 수도 있고, 드라마를 볼 수도 있고, 은행 업무를 볼 수도 있지.

휴대 전화는 정말 편리해!

그런데 이렇게 줄기차게 휴대 전화를 사용하다가 잃어버리거나

내 휴대 전화가 어디 갔지?

수업 시간에 선생님께 뺏기기라도 하면 어떨까?

수업 시간에 휴대 전화를 가지고 놀아?

헉!

친구한테 문자 올 텐데…, 다운 받아 놓은 게임 비싼 것인데…, 전화번호들은 어떻게 하지? 기억도 못 하는데….

휴대 전화가 없어져서 불편하기도 하지만 슬슬 마음까지 불안해지지.

내 휴대 전화!

자신도 모르는 사이 휴대 전화에 의지하게 된 거야. 찾지 못하면 부모님에게 다시 사 달라고 졸라야겠다 하면서 말이야.

엄마, 저거 사 줘요! 네?

에휴, 간수를 잘 해야 사 주지!

하지만 하이데거가 살았던 시대에는 휴대 전화가 없었잖아.

예가 그렇다는 거지.

그는 기술이 갖고 있는 어두운 면을 꿰뚫어 봤어.

아, 편하다!

두고 봐라!

기술

기술로 인해 생활은 편리해질지 모르지만 기술의 혜택 없이는 살지 못할 정도로 금방 길들여진다는 거지.

어라?

어서 가세나!

기술

사람들은 이성의 능력으로 발전시켜 온 기술의 덫에 걸리고 만 셈이야.

으아, 어떻게 하다가 이렇게 된 거야!

하이데거는 현대 기술 문명에 맞서 싸우는 것을 목표로 삼았어.

가만 안 두겠어!

기술

타이어

하이데거는 어떤 사람일까?   53

그러기 위해서는 현대 사회를 지배하는 이성 중심, 존재자 중심의 철학 논리를 깨야 했지.

빠악 인간 중심

아자!

그래서 이를 위해 평생 동안 존재 문제와 씨름한 거야.

으, 이건 어떻게 하지?

《존재와 시간》은 그런 목표를 향한 첫걸음이었지.

이성 중심의 철학 논리를 깰 거야!

비록 인간의 실존 문제에 초점을 맞췄지만 말이야.

그는 현대인들이 기술 문명에서 벗어나 단순하고 소박한 자연으로 돌아가야 한다고 생각했어.

그리고 자신의 고향인 메스키르히를 자연의 존재와 어울려 살 수 있는 이상적인 곳으로 내세웠지.

자, 이왕 떠난 김에 가장 이상적인 '메스키르히'로 오세요.

그럴까요?

메스키르히

토트나우베르크에 오두막을 마련한 이유도

연구와 강의 때문에 떠나야 했던 고향 마을과 비슷했기 때문이야.

기술 문명을 거부하고 자연으로 돌아가라는 그의 주장은

?

우리는 자연으로 돌아가야 합니다.

시대에 맞지 않는다는 비판을 받기도 했지만,

자연에서 생활하는 것이야말로 참된 삶입니다.

이 풍요로움을 포기하라고요?

그가 평생 동안 고민하고 씨름했던 존재에 대한 철학은 이렇게 그의 고향 마을에 뿌리를 두고 있다고 볼 수 있어.

이곳이야말로 내 철학의 근본, 자연과 함께 살아가는 아름다운 마을!

그는 죽을 때까지 자신이 메스키르히에서 태어나고 자란 것에 대해 감사했어.

이 마을에 태어난 것은 정말 큰 행운이야!

이런 마음에 보답하기 위해 메스키르히 시는

그를 명예시민으로 임명했고,

명예시민으로 임명합니다.

감사합니다.

그를 기리는 노래를 만들었으며, 그의 이름을 딴 '하이데거 김나지움(고등학교)'을 세웠어.

하이데거 김나지움

그럼 이쯤에서 궁금증이 생길 거야. 그의 고향은 어떤 곳일까?

도대체 어떤 곳이기에 그렇게 좋아한 거야?

메스키르히는 도시라고는 하지만 당시 인구가 고작 4,000여 명 정도밖에 안 되는 시골 마을이었어. 이 마을 역시 슈바르츠발트 지역에 속하지.

안녕하세요! 하이데거 선생님!

안녕하신가?

그러고 보면 하이데거는 평생 슈바르츠발트 근처를 떠나지 않았던 셈이야.

난 이곳이 너무 좋아!

어쨌든 그의 고향 마을은 떡갈나무들이 있고,

숲에서는 새들이 재잘거리고,

짹짹 짹

아침 일찍 풀을 베러 가는 부지런한 농부들을 볼 수 있으며

일하러 가시는가?

네.

들판에서 자라나는 곡식들의 생명의 소리를 들을 수 있는 곳이라고 했지.

곡식들이 무럭무럭 자라는구나!

하이데거는 이곳에서 1889년 9월 26일

응애!

아버지 프리드리히 하이데거와 어머니 요한나 하이데거 사이에서 장남으로 태어났어.

아들이오.

그래요?

그에게는 두 명의 동생이 있었는데,

동생들아, 오늘은 시간에 대해 알아볼까?

?

남동생 프리츠 하이데거는 나중에 은행장이 되어 사회적으로 성공하지만,

흠, 내가 좀 성공했어.

은행

여동생 마리아는 일찍 죽었지.

동생아, 흑흑!

여 동 생 하 이 데 거 의 묘

어릴 적 그의 집은 매우 가난했어.

엄마, 밥 줘요.

에구, 빵이 떨어졌네.

아버지는 성당지기로 일했지만,

쓱쓱

먹고 살기가 어려워 술 창고를 지키는 일도 자주 했었다고 해.

졸려.

그의 부모는 어려운 형편에도 어린 하이데거를 초등학교에 보냈지만,

선생님 말씀 잘 듣고 열심히 공부하렴!

네!

도저히 그 이상은 공부를 시킬 형편이 안 되었지.

우리 형편으로 더 이상은 힘들겠어….

어쩔 수 없죠. 학교는 그만 보내요.

이때 하이데거의 총명함을 알아본 메스키르히 성당 신부님인 콘라드 그뢰버의 주선으로

아이가 똑똑합니다. 포기하시면 안 돼요.

하지만 저희 형편이…

그는 교회 장학금을 받으면서 계속 공부할 수 있게 되었어.

교회에서 장학금을 드릴게요.

감사합니다!

대신 김나지움을 졸업한 뒤에 신부가 되어야 합니다.

음….

아버지, 신부가 되겠어요. 계속 공부할래요.

독일의 김나지움은 우리나라의 중학교와 고등학교를 합친 학교라고 보면 돼.

1903년부터 1906년까지 하이데거는 콘스탄츠에 있는 김나지움에서 공부한 뒤 프라이부르크에 있는 김나지움으로 옮겼어.

콘스탄츠 김나지움

프라이부르크 김나지움

그는 철학책을 매우 즐겨 읽었는데,

플라톤의 《국가》는 어떤 책인가?

이를 안 그뢰버 신부님은 그에게 아주 중요한 선물을 주었어.

선물이다!

먹을 거예요?

아니란다.

아니, 이건?

그건 바로 프란츠 브렌타노라는 사람이 쓴

나는 독일의 철학자이자 심리학자야.

프란츠 브렌타노

프란츠 브렌타노의 논문이네요!

《아리스토텔레스에 있어서 존재자의 다양한 의미에 대하여》라는 제목의 박사 학위 논문이었어.

아리스토텔레스에 있어서 존재자의 다양한 의미에 대하여...

그렇단다.

이 선물이 중요한 이유는 그 논문을 읽으면서

흐음!

하이데거가 처음으로 존재에 대한 물음에 관심을 가졌기 때문이야.

존재라….

겨우 18살의 나이에 박사 논문을 읽다니 굉장히 수준이 높았지?

응! 정말 대단해!

1910년에서 1913년 사이에 하이데거는 《아카데미커》라는 학술 잡지에

아카데미커

가톨릭 신자의 입장에서 사회주의와 같은 이념,

공산주의, 무정부주의, 사회 민주주의를 포함하는 넓은 개념이 사회주의야.

근대의 퇴폐적인 도시 문명 등에 대해 비판하는 글을 실었어.

하하하

학창 시절에 이미 현대 사회의 기술 문명에 대한 비판 의식이 싹트고 있었다고 봐야지.

기술이 발달하니까 세상이 살기 좋아진 것 같아.

글쎄, 기술 문명이 결코 좋은 것만은 아니야.

빠앙

학교를 졸업한 뒤,

이제 졸업이구나!!

하이데거는 약속대로 신부가 되기 위해 포어알베르그의 펠트키르히에 있는 예수회에 수련생으로 들어갔어.

신부님과의 약속을 지킬 거야.

그러나 심장병 때문에 겨우 14일 만에 예수회의 신부가 되는 꿈을 포기해야 했어.

크윽!

이봐, 괜찮아?

신부의 꿈을 포기할 수 없었던 그는

반드시 신부가 되겠어!

이번에는 예수회가 아니라 프라이부르크 대학에서 신학 공부를 했지만,

프라이부르크 대학

또다시 심장병이 발병하는 바람에 그마저도 그만둬야 했지.

이봐, 괜찮아?

크윽!

1911년 2월, 그는 공부를 중단하고 요양을 위해 고향으로 돌아갔단다.

흑흑, 나는 왜 이렇게 약한 거야.

두두두

그는 고향 메스키르히의 들길을 걸으며 신학을 포기하고 철학을 공부하기로 결심했어.

철학을 공부해 보는 것은 어떨까?

신부가 되기를 바랐던 그의 부모님에게는 아주 충격적인 사건이었지.

전 오늘부터 철학 공부를 하겠습니다.

뭐라고?

그는 1911년 겨울 학기부터 프라이부르크 대학에서 본격적인 철학 공부를 시작했고,

이번에는 제대로 공부해 보자!

프라이부르크 대학

1913년 〈심리주의에서의 판단론〉이라는 논문으로 박사 학위를 받았어.

심리주의 에서의 판단론

박사 학위를 받은 지 채 1년이 지나지 않아 1914년 독일에는 전쟁의 회오리가 닥쳤어. 바로 제1차 세계 대전이 일어났던 거지.

연구 좀 제대로 해 보려고 했더니.

그는 심장병 때문에 병역을 면제받았지만,

후유, 다행이다!

면제

나중에 다시 군에 소집되었어.

훌쩍

이게 뭐야….

처음에는 프라이부르크에 있는 우편물 검사소에서 일을 하다가

전쟁이 끝날 무렵 1918년, 가장 격렬한 싸움이 벌어졌던 프랑스의 베르됭 지방으로 배치받았어.

심장도 약한 내가 왜?

자네가 이쪽으로 온 건 수학 지식이 많기 때문이다.

수학이요?

지식을 이용해서 날씨를 측정하는 등 전쟁에 도움이 되는 정보를 수집하라는 거였지.

이 정도 일은 심장이 약해도 할 수 있지.

다행히 그는 다치거나 전쟁 포로가 되지 않고 1918년 12월 프라이부르크로 돌아올 수 있었어.

이렇게 돌아온 것만도 다행이야.

척 척

전쟁터에서 피비린내 나는 싸움을 목격하고 경험하면서

내 팔!

메딕, 여기!

그의 철학에는 큰 변화가 일어났지.

으아….

집에 아이가 기다리고 있어!

살려 줘!

으악!

1915년 〈둔스 스코투스의 범주설과 의미설〉이라는 논문으로 교수 자격을 얻었을 때만 하더라도 그는 독실한 기독교 신자였어.

주여, 제가 교수가 될 수 있도록 해 주셔서 감사합니다.

그래서 그의 사상도 가톨릭 철학과 신칸트학파 같은 전통적인 서양 철학을 받아들이는 입장이었지.

가톨릭 철학, 신칸트학파

전통적인 것이 좋은 것이야!

키에르케고르의 실존주의나 딜타이, 셸러 등이 주장한 생철학*은

나는 실존 사상을 주장했고.

키에르 케고르

우리는 생철학을 주장했지

딜타이

셸러

비합리적인 것이라 해서 받아들이지 않았어.

흥, 이런 사상은 필요 없어. 이치에 맞지 않거든.

실존 사상

생철학

휙

*생철학 – 생명 개념을 근본으로 삼아 19세기 이후에 형성된 철학의 흐름.

비합리적이란 건 논리나 이치에 맞지 않는다는 의미야.

그런데 제1차 세계 대전을 겪으면서 이성과 신앙에 대한 믿음이 무너지자

그동안의 철학들로부터 등을 돌리고 실존주의, 생철학에 많은 관심을 갖게 되었지.

나도 좀 껴 주게!

그런데 생철학은 뭐고 실존주의는 뭐야?

음….

철학자들마다 주장이 조금씩 달라서 한마디로 정리하기는 어렵지만,

아니, 난 그런 뜻이 아니라….

해석의 차이가 있군.

내 주장과는 다른데?

생철학의 입장에서 보면 인간의 삶을 이끄는 것은 이성이 아니라

배고파.

이성

살고자 하는 의지나 본능이라는 거야.

밥이다.

먹고 살아야지.

크윽! 본능에 밀리다니!

이성

삶이 이렇네 저렇네 정의만 할 것이 아니라,

삶이란 우리를 …?

자, 일단 밥벌이부터!

툭

있는 그대로 보고 체험하라는 거지.

삶은 개뿔. 힘들어 죽겠네.

뭔가 생각이 바뀌지?

그리고 이렇게 직접 체험하면서

응, 뭔가 다르네.

삶을 변화시켜 만들어 나가는 것이 중요하다는 게 바로 생철학이야.

이제 생철학이 이해가 되지?

네!

이런 생철학의 영향을 받아 탄생한 철학이 바로 실존주의야.

그동안 서양의 철학이 인간과 다른 존재자들의 본질적인 차이를

이성으로 파악했다는 것은 앞에서도 이야기했지?

이성

이성을 중시한 철학자들은 이성이 모든 인간에게 해당된다 여겼어.

이성을 통해야 인간이 인간일 수 있습니다.

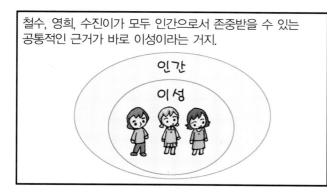

철수, 영희, 수진이가 모두 인간으로서 존중받을 수 있는 공통적인 근거가 바로 이성이라는 거지.

인간

이성

그들이 각자 다른 생각을 갖고 다른 모습으로 생활하고 있는데도

로봇은 멋있어.

나는 무척 예뻐!

난 천재야.

이런 차이를 무시한 채 단지 이성적인 인간이라는 범주*로 같이 묶어 버린 거야.

그리고 당연히 합리적인 존재라고 여겼어.

*범주 – 동일한 성질을 가진 부류나 범위.

어디까지 가세요? 제가 짐을 들어 드릴게요.

고맙네!

따라서 '뭐가 옳고 그른지', '어떤 것이 최선의 결과를 낳는지' 등에 대해 이치에 맞게 잘 따질 줄 안다는 거지.

여러분, 옆의 행동은 옳은 것일까요?

네!

이에 반해 인간의 감정, 의지, 욕망, 불안과 같은 문제들은 비합리적인 것으로 여겼어.

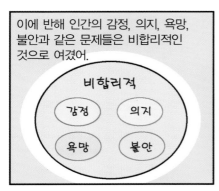

비합리적

감정 의지

욕망 불안

사람들마다 다르니까 정확한 기준을 잡을 수 없다는 거지.

반면에 실존주의는 보편적인 이성이 아니라

다음 문제를 볼까요?

또요?

철수, 영희, 수진이 각자의 삶에 눈을 돌려야 한다고 말해.

배고파!

화장실 가고 싶어!

약속 있는데….

이 세상에 똑같은 사람은 없지?

응, 다 달라.

부품을 갈아 끼우듯이 철수를 영희와 바꿀 수도 없고 말이야.

오늘부터 내가 영희가 될게!

말도 안 돼!

하이데거는 어떤 사람일까? **63**

각자가 다 제 삶의 주인이니까.

그럼, 오늘부터 설거지, 청소, 빨래, 요리 다 네가 해.

윽, 그냥 각자 살자!

게다가 삶은 영원하지도 않아. 인간이라면 누구나 언젠가는 죽을 테고,

그렇기 때문에 항상 불안이나 공포를 느끼면서 살아가지.

쾅 콰콰쾅

헉, 무서워!

생각만 하는 게 아니라는 거야.

창피해.

그러므로 인간이 어디에서 왔는지 묻지 말고,

어디에서 왔다가 어디로 가는가? 나무 관세음보살!

일단 세상에 인간이 존재하니까 존재 그대로 인정해야 한다는 거야.

나의 존재를 인정해 줘!

실존주의는 인간이 어떻게 살아야 하고, 무엇을 해야 하는지

철수는 어떤 일을 하고 싶니?

음….

각자가 결정하면서 주체적*으로 살아야 한다고 주장하지.

제가 좋아하는 일을 하고 싶어요.

제 삶은 제 것이니까요.

이제 실존주의와 생철학에 대해 조금은 알겠지?

응!

*주체적 – 어떤 일을 실천하는 데 자유롭고 자주적인 성질이 있는.

하이데거는 생철학과 실존주의를 받아들이면서 독일에서 '무신론적 실존주의 철학'을 세우는 데 아주 큰 역할을 해.

무 신 론 적 실존주의

무신론은 또 뭐지?

무신론이란 신의 존재를 부정하는 것을 말한다.

신은 없어!

실존주의 철학이란 우리가 사는 세계가 결국 철수, 영희 같은 개개인의 사람들에 의해서 존재한다고 주장하는 이론이야.

이와 같은 실존주의 사상이 《존재와 시간》에 깊이 반영되어 있단다.

그래서 사람들은 그를 무신론적 실존주의의 선구자*로 추켜세웠어.

당신은 무신론적 실존주의의 선구자입니다.

대단해요.

정작 하이데거는 실존주의 철학자로 불리는 것을 원하지 않았지만 말이야.

내가 무슨 실존주의를 추구했다고 그러나요?

휘휘

하이데거는 교수 자격을 취득한 뒤,

이제부터 나도 교수야.

프라이부르크

*선구자 – 어떤 일이나 사상에서 다른 사람보다 앞선 사람.

자신의 모교**인 프라이부르크 대학에서 시간 강사로 강의를 시작했는데,

자, 오늘도 수업을 시작해 볼까요?

**모교 – 자기가 다니거나 졸업한 학교.

그의 강의는 학생들에게 매우 인기 있었다고 해.

네!

오, 오늘도 많이 왔군요.

얼마나 인기가 있었는지 학생들이 그의 말투나 행동을 흉내 내며 다녔을 정도였대.

오, 오늘도 많이 왔군요.

하하하, 진짜 똑같아!

그는 강의실에 농부와 같은 차림으로 자주 나타나고는 했는데,

학생들은 이런 그의 복장을 '실존적인 복장'이라고 불렀어.

정말 옷 최고다!

실존적인 복장이야.

그의 복장과 관련해서 또 다른 재미있는 일화가 있어.

뭔데?

언젠가 오스트리아의 수도 빈에서

한 철학자가 하이데거에 대해 강연을 한 적이 있었지.

우리는 하이데거의 주장에 대해 깊이 생각해 봐야 합니다.

강연을 하던 그 철학자는 맨 앞줄에서 한 농부가

응? 웬 농부가 내 강연을 다 듣네.

자신의 이야기를 다 이해했다는 표정으로 앉아 있는 것을 보고는

흐음, 그렇구만.

자신의 강연이 성공적이라고 생각했어.

역시 내 강의는 명강의야!

전문적으로 공부하지 않은 농부도 알아들을 정도니까 말이야.

나머지 사람들도 다 알아들었겠지. 이번 강연은 완전 성공이야.

그런데 웬걸?

제 얘기가 괜찮았 나요?

강의가 정말 인상적 이었소.

나중에 알고 보니, 그 농부가 바로 하이데거였던 거야.

어? 하이데거 선생님!

허허, 들켰네!

자기에 대해 이야기하는 자리에 턱 하니 앉아 있을 거라고 누가 상상했겠어?

어쩐지…

뭐가 말인가?

이렇게 보면 하이데거가 좀 괴짜였던 것 같지?

아, 아무것도 아닙니다. 저랑 식사나 하시지요.

그러세!

1916년, 하이데거는 그의 사상에 많은 영향을 준 아주 중요한 사람을 만났어. 바로 에드문트 후설이야.

안녕하세요. 하이데거입니다.

나는 에드문트 후설일세.

후설은 현상학이라는 학문을 창시*한 사람인데, 하이데거는 대학 때부터 그의 사상에 푹 빠져 있었어.

오, 현상학이란 대단한 학문이군.

*창시 – 어떤 사상이나 학설을 처음 시작하거나 내세움.

그러던 차에 후설이 프라이부르크 대학의 교수로 부임**했던 거지.

이번에 이곳에서 새로 일하게 되었습니다.

I love 후설

**부임 – 임명이나 발령을 받아 근무할 곳으로 감.

1장에서도 많이 나온 것 같은데 현상학이 뭐야?

다음 장에서 자세히 살펴볼 거야.

지금은 하이데거가 현상학이라는 학문에서 많은 영향을 받았다는 정도만 기억해.

쳇, 알겠어.

조금만 기다려.

하이데거는 고대 그리스의 철학자들로부터 시작된 서양의 철학을 공부하면서 자신만의 사상을 만들어 나갔어.

이후 그는 후설의 조교로 일했는데,

논문 자료는 어떻게 되었나?

지금, 준비 중입니다.

후설은 하이데거를 자신의 후계자로 여겼어.

현상학, 그것은 하이데거와 나다.

영광입니다.

그러나 후설이 거부했던 생철학과 실존주의 사상을

에잇, 이건 아니야.

생철학

실존주의

휙

하이데거가 적극적으로 받아들이면서 점점 관계가 멀어졌지.

그럼, 제가 갖겠습니다.

생철학

실존주의

스윽

뭐라고? 흥!

하이데거는 《존재와 시간》에 자신의 스승인 후설에게 책을 바친다고 썼지만,

> 흠, 흠! 뭘 이런 걸!

현상학적인 방법을 사용하면서도 정작 후설의 철학을 비판했지.

> 뭐야, 내 철학에 대한 비판이 가득하잖아?

1923년, 하이데거는 마르부르크 대학의 철학과 부교수로 부름 받았어.

이때 그의 명성은 이미 대학 안에 널리 알려졌지.

> 하이데거 선생님이 우리를 가르치신대!

> 우아, 정말?

학생들이 그의 강의를 듣기 위해 몰려들었고,

> 아, 이놈의 인기란….

당시의 유명한 철학자들도 그의 뛰어남을 인정했어.

> 하이데거가 최고야!

> 인정해!

> 나도!

1927년 《존재와 시간》이 발표되면서 그는 세계적으로 주목을 받았고,

> 아, 부담스럽다….

1928년 스승인 후설의 뒤를 이어 프라이부르크 대학의 정교수로 부임했어.

> 모교의 정교수가 되었구나!

그가 워낙 유명했기 때문에 베를린 대학으로부터 두 번씩이나 초청을 받았지만,

> 우리 대학으로 와 주십시오.

> 음…

고향에 대한 애정 때문에 초청을 거절했다고 해.

> 고맙습니다만 사양할게요.

1933년 하이데거는 프라이부르크 대학의 총장으로 선출되었어.

> 총장이 되신 것을 축하드립니다.

> 감사합니다.

당시 독일은 이미 나치가 정권을 잡은 상황이었단다.

나치는 독일의 정당 이름인데, 나치를 이끈 사람이 바로 히틀러였지.

제2차 세계 대전을 일으키고

콰앙

엄청나게 많은 유대인들을 끔찍하게 죽인 장본인이 바로 히틀러와 나치였어.

우리가 무슨 죄를 졌다고…

으윽, 살려 줘!

그런데 하이데거는 총장으로 취임한 직후 나치에 가입했단다.

저도 받아 주세요!

그는 아내인 엘프리데와 함께 집회를 열고 총장 취임 연설에서 나치 지지 연설을 했어. 정당 활동에 열성적으로 참여하는 것은 물론 학생들이 나치 운동에 참여해야 한다고 호소했지.

학생들이여, 국가와 민족을 위해 나치 운동에 참여하기 바랍니다!

웅성 웅성

충격적이지 않니?

응, 좀 놀랐어! 하이데거가 나치라니?

시골을 사랑하는 순박한 농부의 마음을 지녔으며,

위대한 철학자라 칭송받던 사람이 끔찍한 나치 활동에 참여했다니….

우리가 나치의 정신을 이어 가야 합니다!

하이데거의 나치 참여는 어느 누구도 예상하지 못한 것이었기 때문에 큰 충격을 안겨 줬어.

저분 정말 하이데거가 맞아?

말도 안 돼!

그와 학문적으로 교류했던 사르트르나 유대인이었던 마르쿠제, 한나 아렌트 같은 제자들도 그의 나치 참여에 경악했어.

어째서 그런 결정을 한 걸까요?

거짓말 같아요.

세상에, 이럴 수가!

사르트르

마르쿠제

한나 아렌트

특히 하이데거의 나치 참여에 가장 실망한 사람은 유대인이었던 한나 아렌트였을 거야.

한나 아렌트*
1906~1975

왜냐하면 이미 엘프리데 페트리와 결혼했던 하이데거가 부인 몰래 사랑했던 여자가 바로 한나 아렌트였거든.

*한나 아렌트 – 독일 출신의 정치 이론가.

1924년부터 1928년까지 약 4년 동안이나 말이지.

보고 싶었소.

저도요!

하이데거의 나치 참여로 한나는 그와의 관계를 끊고

실망이에요!

나치의 박해를 피해서 미국으로 망명*을 했어.

안녕, 내 사랑!

*망명 – 정치적인 이유로 자기 나라에서 박해를 받는 사람이 이를 피해 외국으로 자리를 옮김.

그녀가 하이데거를 다시 만나 화해한 건 1950년이었단다.

오랜만이군.

그렇군요.

하이데거의 철학을 존경했던 그녀의 남편이 그녀를 설득했기 때문이었지.

제 남편이에요.

안녕하세요.

반갑소!

하이데거의 나치 참여에 심한 배신감을 느꼈지만, 사실 그의 철학 자체를 부정하지는 않았어.

그래서 제2차 세계 대전이 끝난 뒤 하이데거의 철학에 비난이 쏟아지자

퍽

퍽

변절자!

크흑!

그녀는 스승의 철학을 열심히 변호해 주었지.

거기에는 이유가 있었습니다.

참고로 한나를 다시 만나기 전 하이데거는 부인 엘프리데에게 한나와 과거에 연인이었던 사실을 고백하고

여보, 사실 한나랑 사귀었소.

뭐라고요?

존재와 시간

용서를 빌었다고 해.

늦었지만 용서해 주시오.

너무해요… 흑흑!

그런데 마틴!

왜?

도대체 하이데거는 왜 나치 활동에 참여한 거야?

응, 그건 말이지….

그 이유를 알아보려면 일단 당시 독일의 상황을 잠깐 살펴봐야 해.

독일

1918년 11월 제1차 세계 대전이 끝나고 난 뒤 독일은 전쟁의 상처를 극복하면서 힘겹게 경제 성장을 해 나가고 있었어.

하지만 1929년 경제 대공황*이 일어나면서 독일의 경제도 파탄이 났지.

우리에게 일자리를 달라!

*대공황 – 전 세계적으로 지속된 경기 침체.

공장들이 줄줄이 문을 닫고

문 열어!

일하게 해 줘!

물건 값이 너무 올라서 돈을 한 수레 가져가도 빵 한 조각 사기 어려웠어.

이 돈 다 드릴 테니 빵을 주세요.

돈이 부족해!

아이들이 장난감 대신 돈다발을 쌓아 놓고 놀 정도였다니까 어느 정도인지 짐작이 가지?

이게 바로 돈 방석이야.

돈으로 딱지 만들어야지.

하이데거는 어떤 사람일까? **71**

게다가 전쟁에 대한 책임으로 어마어마한 배상금*을 지불해야 했고,

배상금

그것으로는 이자밖에 안 돼!

여기 이번 달 전쟁 배상금이요.

*배상금 - 남에게 입힌 손해에 대해 물어 주는 돈.

위험한 나라로 낙인 찍혀서 다른 나라들의 간섭을 받아야 했어.

똑바로 하란 말이야.

그렇게 하면 안 되지!

젠장!

뿐만 아니라 전 세계적으로 공산주의 운동이 번지면서

재산을 공유해서 빈부의 차를 줄여야 합니다.

옳소!

독일 내에서도 이를 지지하는 세력이 늘어나고 있었지. 체제*가 흔들렸던 거야.

이봐, 공산주의 괜찮던데….

나도 관심이 있어.

지금보다 괜찮은 세상이 올지도 몰라.

한마디로 독일이라는 나라가 사라질지도 모른다는 위기가 가득했지.

그렇구나!

이런 상황에서

나라가 망하기 전에 무슨 수를 써야겠어.

*체제 - 사회를 하나의 유기체로 볼 때 그 조직이나 양식, 또는 상태를 이르는 말.

게르만 민족의 우수성을 강조하며 강한 독일을 만들자는 구호와 함께 등장한 것이 바로 나치와 히틀러였어.

우리는 위대한 게르만 민족입니다.

독일은 강해져야 합니다! 우리는 모든 것을 실현할 수 있는 우수한 민족입니다!

옳소!

우리가 어떤 민족인데!

와아아~

히틀러는 1933년 "민족에 대한 무한한 사랑과 충성은 다른 민족들의 권리에 대한 존중을 포함한다."라는 연설을 했는데,

훌륭한 연설이야.

우리는 할 수 있어!

이대로 주저앉을 수는 없어!

독일인뿐만 아니라 당시 미국 대통령이었던 루스벨트도 히틀러의 등장에 환호하며 박수를 보냈지.

오, 독일에서 인물이 나왔군!

짝

짝

기계적인 도시 문명과

빈부 격차의 문제점을 지적하던 하이데거는

새로운 체계를 바탕으로 독립적인 국가를 만들자는 나치의 생각에서

이제 우리는 새로운 독일로 거듭나야 합니다!

자신의 철학 사상을 실현할 수 있다는 믿음을 가졌어.

음, 나치에서 나의 철학을 실현해 보자!

그는 나치 운동에 적극적으로 동참하면서 진정한 독일 민족 공동체를 만들 수 있다고 생각했지.

비록 나치가 반유대주의를 내세웠지만,

반유대주의란 인종 · 종교 · 경제적 이유로 유대인을 배척*하는 사상이야.

*배척 – 따돌리거나 거부하여 밀어 내침.

당시에는 유대인 학살**이라는 무시무시한 계획을 드러내지 않았으니까.

설마 유대인을 그렇게 괴롭히고 죽일지 몰랐어.

**학살 – 가혹하게 마구 죽임.

어쨌거나 하이데거는 대학에서 유대인 교수들을 추방하려는

총장님, 유대인 교수를 추방해야 합니다.

동참 하세요!

총장실

나치의 정책에 동참하지는 않았어.

그게, 나는 잘 모르겠네.

시간이 흐르면서 이런 문제 때문에 나치와 자꾸 부딪치자

총장님, 이러시면 안 돼요.

....

나치의 반유대주의 모르세요?

1934년 스스로 총장직에서 물러났지.

나는 못 하겠네. 총장직을 내놓을 테니 알아서 하게!

1938년 이후부터 그는 나치가 주장했던 인종주의, 민족주의 등을 비판하는 강연을 했어.

나치의 인종, 민족주의는 문제가 있습니다.

음, 그런가?

그러나 강연과 달리 그는 나치의 정책에 대해 적극적으로 반대하거나 비판하지는 않았지.

뭐야, 강연만 하고 실제로 행동하지는 않잖아.

그러게.

한 예로, 유대인이었기 때문에 어려움을 겪고 있는 자신의 스승 후설을 위해

이보게, 제자. 나 좀 도와주게!

쾅 쾅

아무런 노력도 하지 않았거든.

너무하는 구먼….

심지어는 1938년 후설이 세상을 떠났을 때 장례식에도 참석하지 않았어.

하이데거는 안 오나?

글쎄, 안 보이는군!

너무해!

독일이 전쟁에 패한 뒤, 프랑스와 연합군은 하이데거가 대학에서 강의하지 못 하게 했어.

하이데거, 당신은 출입 금지요!

대학교

그가 적극적으로 나치의 유대인 학살에 참여했던 것은 아니지만,

아니, 왜요?

적극적으로 나치에 반대하지도 않았기 때문이야.

그, 그럴 수가….

털썩

하이데거를 철학자로서 인정하는 많은 학자들의 탄원*으로

하이데거를 복직시켜 주시오!

그는 뛰어난 철학자입니다!

1951년부터 다시 강의를 할 수 있게 되었지만,

….

＊탄원 – 사정을 하소연하여 도와주기를 간절히 바람.

한 학기만 강의하고는 은퇴해 버렸지.

하이데거는 이후 몇 번의 강연을 제외하고는 프라이부르크의 집이나 토트나우베르크의 오두막에서

집이 가장 편하지….

책을 쓰는 데 시간을 보냈어.

그는 그동안 자신의 사상을 직접 전집으로 묶어서 출판하고자 했지.

이야, 다 썼다!

정말요?

그는 전집을 자신의 아내인 엘프리데에게 바치겠다며

여보, 고맙소!

제가 한 것이 뭐가 있다고….

다음과 같이 썼단다.

이 책을 나의 아내 엘프리데에게 바친다. 긴 여정 동안 언제나 옆에 있어 준 것이 내게 가장 큰 도움이 되었다.

하이데거는 1976년 5월 26일 심장마비로 사망했고,

여보!!

크윽

자신의 희망대로 고향인 메스키르히에 묻혔지.

하이데거의 묘

그가 죽은 뒤 나치 참여와 관련해서 그의 철학 역시 논란의 대상이 되었어.

하이데거의 철학을 순수하게 봐서는 안 됩니다!

옳소. 그의 주장에는 꿍꿍이가 있기 때문입니다.

특히 1987년 프랑스에서 빅토르 파리아스가 《하이데거와 나치》라는 제목의 책을 내면서 논란은 더욱 크게 일어났지.

이 책이 하이데거 철학에 대한 논란을 크게 키웠어.

하이데거와 나치

빅토르 파리아스

하이데거는 나치의 계획을 실현하기 위해 학생들을 이용했을 뿐만 아니라, 《존재와 시간》 속에도 나치에 동조*하는 사상이 담겨 있습니다.

뭐라고요?

이에 대해 하이데거를 옹호하는 사람들은

그게 무슨 말도 안 되는 소리입니까?

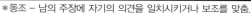

*동조 – 남의 주장에 자기의 의견을 일치시키거나 보조를 맞춤.

당시의 시대적인 분위기를 고려해야 하고,

그때는 독일이 망할 수도 있다는 공포가 지배하던 시대였습니다.

맞아, 시대적인 상황을 봐야지.

그의 나치 참여가 적극적이지 않았기 때문에 그의 철학과 나눠 생각해야 한다고 주장했어.

하이데거는 나치를 위해 열심히 활동하지 않았습니다.

따라서 그의 철학에 나치에 동조하는 사상이 들어 있다고 단정할 수 없습니다.

이런 논란이 계속 일어나는 데에는 하이데거의 탓이 크다고 할 수 있어.

당신들은 하이데거를 너무 옹호하고 있어.

당신들이야말로 그의 철학을 깎아 내리려고만 하잖아!

나 때문에 미안….

이유가 어찌 되었든 그가 한때 나치에 참여했던 것은 지울 수 없는 사실인 데다,

아, 이거 안 지워지네….

자신의 잘못을 반성하면서 용서를 구하는 태도를 보이지도 않았거든.

아, 몰라!

1966년 독일의 시사 주간지인 《슈피겔》과 한 인터뷰에서

나치에 참여한 이유가 무엇입니까?

저는 대학 총장입니다.

그는 나치에 참여했던 이유가 대학을 구해 내기 위해서였다고 대답했어.

나치로부터 대학을 구하기 위해서였지요.

거기다 히틀러를 찬양했던 것도 당시에는 그럴 수밖에 없는 분위기였다고 말했어.

분위기상 나치 편을 들어야 했죠.

음….

이 인터뷰는 그가 죽은 뒤에 발표되었는데,

나치에 참여에 대한 하이데거의 인터뷰가 실렸대.

정말? 나도 보자!

사람들은 그가 반성보다는 변명을 했다며 분노했어.

뭐야? 이거 순 변명이잖아?

먼저 잘못했다고 비는 게 순서 아니야?

사실 하이데거와 관련된 논란은 우리나라에서 벌어지고 있는 친일파에 대한 논란과 비슷해.

대 일본을 찬양하라!

물론이지요. 오늘은 일장기를 그려 볼까요?

일제 강점기 때 일본에 협력했던 작가나 화가들의 작품들을 인정해 줄 것이냐 아니냐 하는 문제이지.

제 그림 멋있죠?

친일파 화가의 그림은 다 쓰레기야.

변절자가 잘 그려 봤자 무슨 소용이야!

흑흑, 잘못했어요.

흥!

그래서 하이데거의 철학을 너희에게 소개할 수 있어서 기쁘지만, 한편으로 마음이 불편하기도 해.

에휴, 아저씨 힘내세요.

응….

하지만 하이데거의 나치 참여와 관련해서 그의 철학을 배우는 게 의미 있는지 아닌지는

그러니까 하이데거는 나치를 위해 자신의 철학을….

그만, 그만!

이 책에서 다루는 주제가 아니니까 이 문제에 대해서는 여기까지만 이야기할게.

아저씨, 미안해요. 그 이야기는 이제 그만해요.

그럼 이제부터 본격적으로 《존재와 시간》 속으로 들어가 볼까?

존시, 가자!

같이 가!

합리주의와 비합리주의

▲ 피타고라스 두상

두루두루 앞뒤 정황을 잘 따져서 생각하지 않거나 이치에 어긋나는 행동을 하는 경우 우리는 이런 말을 종종 듣습니다. "넌 도대체 생각이 있는 거니, 없는 거니? 생각 좀 하고 살아라."

이치에 맞게 생각하는 능력은 중요하지요. 이런 능력을 이성이라고 하는데 이렇게 이성을 중요시 여기는 입장이 바로 합리주의랍니다. 합리주의는 모든 문제를 이성으로 판단하려고 합니다. 우리가 경험한 것들이나 몸을 통해 느끼는 감각은 불완전하고 저마다 다르기 때문에 이 세상의 진리를 파악할 수 있는 능력이 없다는 것입니다. 그래서 합리주의는 이성주의 또는 이성론이라 불리기도 하지요.

합리주의는 연구 대상이나 방법에 따라 다양하게 나타나지만 이성이나 논리로 세계의 보편적인 법칙과 진리를 인식할 수 있다는 입장을 공통적으로 갖고 있습니다. 이 때문에 합리주의자들은 논리학, 수학과 같이 이성으로 얻을 수 있는 지식이 가장 확실한 지식이라고 말합니다.

이런 입장에서 이성을 이용한 통찰을 최초로 강조한 사람이 바로 피타고라스입니다. 피타고라스의 정리로 유명하지요. 그는 답이 딱 떨어지는 수학적 법칙이 세계를 지배한다고 주장했답니다. "모든 것은 수."라고 말할 정도로 수학 법칙의 힘을 믿었지요.

▲ 데카르트

피타고라스 이후로 많은 철학자들이 합리주의의 테두리 안에서 자신의 논리를 펼쳤습니다. 플라톤은 세계의 실체이자 본질인 이데아는 이성의 작용을 통해서만 파악할 수 있다고 주장했으며, 아리스토텔레스는 두 전제를 바탕으로 최종 판단을 이끌어 내는 삼단 논법을 개발해 합리주의 발전에 크게 기여했지요. 중세 시대에는 토마스 아퀴나스가 그리스도의 계시를 이성과 조화시키려고 끊임없이 연구했습니다.

이런 이성 중심의 합리주의 사상은 근대 철학의 아버지라 불리는 데카르트로 이어집니다. 그는 "나는 생각한다. 고로 나는 존재한다."는 명제를 통해서 인간을 이성적인 존재로 규정했지요. 이후 합리주의는 스피노자, 라이프니츠, 칸트, 헤겔 등 많은 합리주의 철학자들이 나타나면서 기반이 다져졌답니다.

하지만 모든 사람들이 이성을 판단의 잣대로 삼았던 것은 아니었습니다. 인간의 삶은 이성이라는 하나의 기준으로 파악할 수 있을 만큼 단순하지 않다는 것이지요. 이런 이유로 합리주의에 반대해 나온 사조가 바로 비합리주의입니다.

비합리주의자들은 감정, 의지, 직관, 본능 등을 통해 삶이 담고 있는 풍부한 의미를 이해하자고 했지요. 그들은 삶을 성찰하고 탐구하기 위해서는 이성뿐 아니라 여러 측면을 함께 고려해야 한다고 주장했습니다. 콩디야크라는 철학자는 경험을 통해 얻은 구체적인 감각의 중요성을 강조했고, 쇼펜하우어는 생(삶) 자체에 대한 맹목적인 의지를 강조했습니다. 프리드리히 셸링과 앙리 베르그송은 대상을 있는 그대로 파악하는 능력인 직관을, 니체는 본능적인 충동의 역할을 강조했지요. 그리고

하이데거를 포함하여 키르케고르, 장 폴 사르트르 같은 비합리주의 계열의 실존주의 철학자들은 개인의 자유와 책임 등을 강조하며 주체적인 삶을 강조했습니다. 합리적이지 않은 세계를 이성과 논리로만 판단하거나 그를 통해 진리를 찾는 것은 불가능하다고 보았지요. 실존주의자들은 고정관념을 뛰어 넘어서는 것이나, 어떤 것도 방해할 수 없는 근본적인 자유 등에서 의미를 찾아야 한다고 주장했습니다.

▲ 장 폴 사르트르

데카르트가 모든 판단의 근거를 종교에 의지하던 사회 분위기를 깨고 이성의 시대를 연 뒤로 사람들은 이성적인 사고를 통해 보다 살기 좋은 세상을 살 수 있으리라는 믿음을 가졌습니다. 사람들의 바람대로 과학이나 여타 학문들이 발전했고 물질적인 풍요로움을 누릴 수 있게

되었지만 그게 끝이 아니었습니다. 물질 만
능 주의, 빈부 격차, 제1차·2차 세계 대전
같은 심각한 역효과가 발생했지요. 비합리
주의는 이처럼 이성에 대한 맹목적인 믿음
이 얼마나 위험한지를 밝히고 반성을 촉구
했습니다. 이렇게 합리주의와 비합리주의는
철학의 두 축이 되어 서로 비판하고 독려하
며 함께 발전해 왔답니다.

▲ 제1차 세계 대전의 주요 장면들

제3장 '존재 물음'을 어떻게 시작해야 할까?

안녕, 친구들!

드디어 본격적으로 《존재와 시간》 속으로 여행을 떠날 때가 되었어.

이번 여행은 그동안 서양의 형이상학에서 잊힌 존재에 대해서 물어보고,

도대체 언제부터 잊힌 거야?

몰라! 어서 찾아봐!

존재

그 의미를 되찾기 위한 아주 중요한 여행이야.

어서 가자!

응!

이 여행을 성공적으로 이루려면 꼼꼼하게 준비해야 하지.

뭐 빠트린 거 없지?

그럼!

특히 존재에 대해 물어보려면 핵심을 잘 잡아야 해.

알았어.

잘못 물으면 샛길로 빠져서

잘 가고 있지?

그럼!

엉뚱한 답을 얻을 수도 있으니까 말이야.

어? 이 산이 아닌가 봐!

뭐야?

하이데거는 물음의 핵심을

정확한 답을 위해서는 물음의 핵심을 잘 잡아야 해!

'물어지고 있는 것', '물어서 밝혀지는 것', '물음이 걸리는 것', 이 세 가지로 잡았어.

1. 물어지고 있는 것
2. 물어서 밝혀지는 것
3. 물음이 걸리는 것

이 세 가지를 존재 물음의 형식적인 구조라고 해.

이렇게 물어 진다는 거지?

아약, 그건 무는 거잖아!

쿡

지금부터 설명해 줄게. 잘 들어 봐!

응!

수업 시간에 뭔가 궁금하거나 이해가 안 될 때 어떻게 하니?

글쎄? 수업 시간에 참고서를 볼 수는 없고….

선생님께 질문을 하지?

맞아! 그 방법이 있었구나.

….

예를 들어, '나눗셈이 뭐예요?' 하고 물어보는 것처럼 말이야.

선생님, 나눗셈이 뭐예요?

어떤 수로 다른 수를 나누는 일이란다.

이렇게 질문이란 무언가 알고 싶은 것이 생겼을 때 그 '무엇'에 대해서 물어보는 거야.

여기서 나눗셈이 바로 '무엇'에 해당하는 거지.

응!

질문의 대상인 '무엇'에 해당되는 것이 바로 '물어지고 있는 것'이고,

무엇 = 물어지고 있는 것

아까 든 예에서 물어지고 있는 것이란 '나눗셈'을 말해.

'물어서 밝혀지는 것'은 질문을 하는 목적에 해당돼.

물어서 밝혀지는 것 = 질문을 하는 목적

나눗셈의 경우 '어떤 수로 다른 수를 나누는 일'이 물어서 밝혀지는 것에 해당하지.

그렇다면 존재 물음을 통해서 최종적으로 얻고자 하는 것은 뭘까?

앞에서 내가 살짝 실마리를 줬는데….

존재의 의미?

맞아. 바로 존재의 의미를 밝히는 거야.

역시 난 천재?

존재 물음이 최종적으로 얻고자 하는 것은 존재의 의미를 밝히는 거야.

존재 물음을 하다 보면 존재의 의미를 알 수 있다는 거지.

그리고 존재 물음에서 '물어지고 있는 것'은

존재란 무엇인가?

그럼 여기에서 '물어지고 있는 것'은?

존재에 대한 물음이니까 당연히 '존재'겠지?

존재!

정답!

좀 더 정확히 말하면 '존재자의 존재'가 물음의 대상이야.

존재자란?

'존재하는 것', 즉, '있는 것'이지!

1장에서 이야기했던 것처럼 우리는 '있음'만으로 말하거나 만지거나 볼 수 없잖아?

서울에 있는 사람이 설악산의 돌을 만지거나 볼 수 없다고 했지?

응, 기억하고 있구나!

x

하지만 있어야만, 즉 존재해야만 존재자를 만날 수 있고,

드디어 설악산의 돌을 만났다!

또 존재자를 이해하기 위해서는 존재가 반드시 미리 전제*되어야 해.

네가 없었다면 만날 생각도 못 했을 거야.

장미꽃이라는 존재자와 장미꽃의 존재(있음)는 분명 다르지만

＊전제 – 어떤 사물이나 현상을 이루기 위해 먼저 내세우는 것.

있기 때문에 우리는 장미꽃을 볼 수 있고,

우아, 예쁘다.

만질 수도 있고,

앗, 따가워!

꽃병에 꽂아 둘 수도 있어.

또한 있기 때문에 식물학자들은 장미꽃이라는 존재자에 대해 연구할 수도 있지.

음, 파란 장미를 만들어 볼까?

수학 시간에 배우는 덧셈, 뺄셈, 분수, 약분 등 수학 공식이나 규칙들도 마찬가지야.

윽, 머리 아파.

비록 이것들이 손으로 만질 수 있는 사물은 아니지만,

분명 존재하기 때문에 배울 수 있는 거지.

아, 수학은 어려워!

그래서 수학자들도 수나 규칙들에 대해서 연구할 수 있는 거란다.

$(a-1)x^2-(a^2-1)$
$x+6(a-1)=0$

식물학은 식물을,

수학은 수에 대해서 탐구하는 학문이야.

우리는 이런 학문들의 이론을 모아서 엮은 교과서를 배우는 거란다.

자, 오늘 배울 공식은?

하지만 식물학, 수학, 역사학, 언어학 등의 과학적인 학문이 가능한 것은

식물, 수, 역사, 언어 등이 어떻게 존재하게 되었는지, 그 본질이 무엇인지를 캐묻고 연구했던 존재론이 있었기 때문이야.

수학 시간에 배우는 내용을 예로 들어 볼까?

1 다음에 오는 수는?

당연히 2지!

우리는 1 다음에는 2가 오고 3, 4, 5, 6… 이렇게 순서대로 숫자가 배열된다고 배웠지.

2 다음이 3이고.

그렇지!

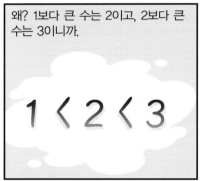

왜? 1보다 큰 수는 2이고, 2보다 큰 수는 3이니까.

$$1 < 2 < 3$$

그럼 1+1은?

2!

농담 삼아 "2+2은 '덧니'예요."라고 대답할 친구들도 있겠지만,

덧니래. 깔깔깔!

그게 재밌어?

수학적으로는 틀린 답이지.

수학적인 답은 2야. 그건 확실해.

그래, 맞아.

우리가 오늘날 당연하게 배우고 있는 수나 공식들은

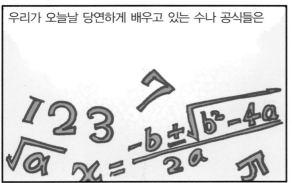

그것이 실제로 존재하는지, 수의 존재를 어떻게 인식할 수 있는지, 수학의 법칙은 확실한 것인지 캐묻는 철학의 도움으로 가능했어.

이렇게 모든 학문은 존재론을 통해서 마련된 기본적인 개념들을 다루는 거야.

그 기본 개념들(존재자)의 근거를 따져 묻고 기초를 제공하는 것이 존재론의 임무지.

너희는 각각 존재자의 근거를 묻고 각 학문의 기초를 제공해라!

넵!

존재론 존재론 존재론

식물학, 수학, 역사학 등의 개별 학문들을 뒷받침해 주는 존재론을

하이데거는 '영역 존재론' 이라고 정의했어.

나는 수학의 영역 존재론 이야.

그런데 영역 존재론은

나는 식물학의 영역 존재론 이지.

나는 역사학!

식물의 존재, 수의 존재, 역사의 존재 등 각각의 존재론에서

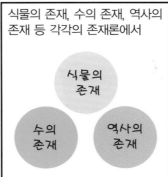

식물의 존재

수의 존재

역사의 존재

공통적으로 다루는 존재가 무엇인지에 대해서는 묻지 않아.

식물의 존재

수의 존재

역사의 존재

?

하이데거가 《존재와 시간》에서 물음의 대상으로 삼는 것은 바로 이 기본이 되는 존재 자체야.

바로 이 부분. 존재, 그 자체의 존재에 대해 물어보자.

다양하게 사용되는 존재가 무엇을 의미하는지 밝혀야만

바로 이 부분을 알아야 해.

영역 존재론도 가능하거든.

그러면 나머지도 알게 될 거야.

그래서 순서를 따지면, 존재 물음→영역 존재론→개별적인 학문 순이 되지.

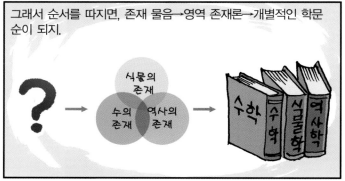

건물짓기에 비유하면 존재 물음은 기초 공사와 같아.

영차!

땅을 고르고, 기초 공사를 튼튼히 해야 건물이 쉽게 무너지지 않겠지?

존재 물음을 허술하게 세운 게 누구야?

으아, 죄송해요.

존재론도 마찬가지야.

존재의 의미가 무엇인지를 확실하게 밝혀야 존재론이라는 건물이 무너지지 않거든.

흠, 튼튼하군!

그래서 하이데거는 존재 물음을 기초 존재론이라고 불러.

존재 물음= 기초 존재론

잘 기억해 두라고!

그리고 순서상 기초 존재론이 맨 앞에 오기 때문에, 그는 '존재 물음은 존재론적인 우위를 갖는다.'고 이야기해.

여기서 우위란 다른 것보다 나은 위치나 수준을 가리켜.

존재 물음(기초 존재론)→
영역 존재론→
개별적인 학문

그럼 이제 마지막 질문이 남았어.

누구에게 물어봐야 하냐는 거지?

하이데거 식으로 표현하면 '물음이 걸리는 것'은 어디일까?

질문이라는 것은 대답을 해 줄 수 있는 상대에게 하는 거잖아?

너는 어떤 존재니?

그렇다면 '너는 어떤 존재니?'라는 질문을 누구한테 해야 할까?

나, 너, 우리, 그들

당연히 '너'라는 존재자에게 질문을 해야겠지?

너는 어떤 존재니?

그렇다면 존재자의 존재에 대해서 물어보려면,

누구에게 물어봐야 할까?

흠, 존재…자?

당연히 존재자에게 물어봐야 할 거야.

그렇지!

그런데 어쩌지? 이 세상에는 존재자가 엄청 많은데.

꽃, 나비, 볼펜, 산, 들, 강아지, 고양이, 인간 등등.

꽃에게 물어볼까? 산에게 물어볼까? 아니면 강아지?

꽃아, 너의 존재에 대해 이야기해 줄래?

….

'존재 물음'을 어떻게 시작해야 할까?

꽃이나 강아지에게 '네 존재의 의미는 뭐니?' 라고 물어본다면, 대답을 들을 수 없겠지?

이것 참 난감한데. 꽃은 대답할 수 없잖아.

….

꽃이나 강아지는 존재라는 표현을 이해하지도 못하고,

자신의 존재를 문제 삼지도 않으니까 말이야.

적어도 존재가 무엇인지 이해하는 존재자에게 물어봐야 하지 않겠어?

볼펜아, 너도 존재가 뭔지 모르겠지?

그러면 이 세상에 존재하는 수많은 존재자들 중에서

그런 존재자가 있을까?

존재의 의미를 이해하고 있는 존재자를 찾아보자!

아!

짝

인간!

맞아, 그건 바로 인간이지.

물론 여기에서 존재의 의미를 이해하고 있다는 것은, 존재가 뭔지 정확하게 알고 있다는 의미가 아니야.

존재의 의미에 대해 이해하시나요?

다는 모르겠지만 대충 알 것 같아요.

가령 김치를 예로 들면,

김치에 대해 들어 본 적도 없고, 먹어 본 적도 없는 밀림의 원주민들에게

김치에 대한 질문을 할 수 있을까?

같이 먹자!

라면에 밥 말아서 김치랑 먹으면 진짜 맛있는데!

아예 모른다면 질문조차 할 수 없을 거야.

먹기 싫음 말고!

아냐, 같이 먹어.

하지만 조금이라도 알고 있다면 물어볼 수 있겠지.

한국은 김치를 많이 먹는다며? 김치가 뭐야?

김치란 말이지….

때문에 존재에 대해 캐물어야 할 존재자는 바로 우리 인간이야.

한마디로 존재에 대한 질문을 던지는 것도 우리 인간이고,

존재란 무엇이라고 생각합니까?

그 질문을 받는 존재자도 우리 인간인 거야.

존재라… 그건, 음….

우리는 자신의 존재가 어떤 의미인지 밝혀야 하는 중요한 임무를 갖고 있어.

너의 임무는?

네!

이 임무를 훌륭하게 마친다면

자신의 존재가 어떤 의미인지 밝혀야 합니다.

그렇다. 훌륭한 대답이다.

이를 토대로 꽃, 나무, 돌, 강아지 등 다양한 존재자들의 존재 의미가 무엇인지 찾아 나서기가 쉬울 거야.

'지피지기면 백전백승' 이라는 말도 있잖아?

적을 알고 나를 알면 백 번 싸워 백 번 모두 이긴다는 말이야.

이런 의미에서 존재의 의미를 밝히는 데 인간은 아주 중요한 열쇠라고 할 수 있단다.

존재의 의미

이 문을 열고 존재의 의미를 밝혀 볼까?

인간은 다른 존재자들과 달리 존재 물음에서 탁월한 위치에 있으니까.

존재물음

잠깐! 탁월하다는 말을 오해하지는 마.

인간이 우월하기 때문에 다른 존재자들을 함부로 대해도 된다는 의미는 아니니까.

저리 가!

깨갱!

영어를 잘하는 것은 뛰어난 능력이지만,

헬로! 하우 아 유?

음, 몰라유.

그렇다고 영어를 못 하는 사람이 수준이 낮은 사람은 아니잖아?

뭐가 '몰라유.'야? 수준 낮아!

영어 좀 못 한다고 수준이 낮다니?

영어를 잘하는 사람에게 통역을 맡기는 것처럼

존시, 미국에 함께 가서 통역 좀 해 줘.

물론 이지요.

힝, 나도 영어 공부 열심히 할 걸!

인간은 존재에 대해 묻고 답할 수 있는 능력이 있기 때문에

우린 물을 수도 대답할 수도 없는 존재자야.

탁월한 위치에 있다고 표현한 거야.

말할 수 없다고 너희를 무시하는 것은 아니란다.

자, 이것으로 하이데거가 말한 물음의 형식적인 구조를 모두 알겠지?

응!

다시 정리하면, 존재 물음은 존재의 의미를 밝힌다는 목적을 갖고,

존재의 의미

인간이 자신의 존재에 대해서 질문하는 것에서부터 시작하는 거야.

존재 물음의 시작은 인간부터!

첫출발은 어디에서부터?

인간!

하이데거는 이것을 '현존재 분석론' 이라고 불렀어.

존재 물음을 위해 현존재를 분석해야 겠어.

어? 현존재가 뭐였지?

현존재란, 하이데거가 인간이라는 단어 대신 새로 만들어 낸 단어야.

현존재 = 인간

아, 앞에서 얘기했었지!

이 단어는 독일어 Da(다)와 Sein(자인)의 합성어인데,

넌 영어보다 독일어를 잘 하는구나?

그럼! 그러니까 영어 못 한다고 무시하지 말라고!

Da(다)+Sein(자인) =Dasein

Da(다)는 '거기',

Da 거기

Sein(자인)은 '존재', 즉 있음을 뜻해.

Sein 있음

두 단어를 합쳐서 뜻풀이를 하면 Dasein(다자인)은 '거기에 있음'을 의미하지.

Dasein

'거기' 라는 단어는 보통 어떤 장소를 가리킬 때 사용하는 표현이야.

예를 들면,

볼펜 어디 있어?

거기 있잖아.

거기 어디?

거기 책상 위에.

하이데거에게 있어서 Da(다)는 인간뿐만 아니라

이리 와!

다른 존재자들이 함께 머물러 있는 장소, 모든 존재자들의 존재(있음)가 이해되는 장소를 의미하는데,

나중에 살펴보겠지만, 이 장소는 하이데거가 말하는 '세계'를 의미한단다.

현존재(인간)는 수많은 존재자들과 관계를 맺으면서 존재하는 것 알지?

안녕, 난 마틴이야.

농사를 짓고, 밥을 먹고, 물을 마시고, 학교에 다니고, 직장에서 일을 하면서 다양한 사람들과 어울려 살아가고 있어.

Da(다), 즉 세계는 이렇게 현존재가 다양한 존재자들과 함께 어우러져 사는 공간이야.

인간을 '현존재(거기에 있음)' 라고 부르는 이유도 바로 Da(다), 세계가 있기 때문이고.

세계가 없다면 우리도 존재할 수 없어.

나, 밥, 물, 학교, 친구, 동료, 가족 등의 존재자들이

따로따로 떨어져 단순히 그 자리에 있기만 하는 게 아니라 밀접하게 관계를 맺으면서 존재하지.

앞으로는 여러분이 이해하기 쉽도록 '인간'과 '현존재'라는 표현을 같이 사용할 거야.

인간 = 현존재

존재와 시간

하이데거는 달가워하지 않겠지만 말이야.

그냥 '현존재' 하면 되지. 왜 섞어서 쓰느냐 말이야.

왜냐고? 그건 바로 그가 인간이라는 익숙한 용어가 있는데도 굳이 '거기에 있음', 즉 현존재라는 단어를 새로 만든 이유와 관련이 있어.

왜 현존재라는 말을 새로 만든 거예요?

그, 그건… 마틴이 설명해 줄 거야.

그동안 서양의 형이상학은

세계의 궁극적인 근거에 대해 연구하는 학문이라고 앞에서 얘기 했었지?

그랬나? 다시 보고 와야겠다.

인간과 다른 존재자들의 본질적인 차이를 찾는 데 관심을 두었어. 다른 존재들과 인간이 다른 이유는 뭘까?

예를 들어 설명해 볼게.

지금 여러분 앞에 '꿈'이라는 이름의 강아지가 있다고 하자.

털이 복슬복슬한 아주 예쁜 강아지야.

꿈아, 물어!

꿈이라는 존재자나, 여러분이나 존재한다는 점에서는 같아.

좋았어!

그리고 동물에 속하지.

너나 꿈이나 같아!

뭐라고?

같은 동물이잖아.

그렇다고 꿈이와 여러분의 존재가 같은 의미를 가질까?

꿈이와 나는 같은 동물이지만 다른 종이라고!

꿈이가 예쁘기는 하지만 나를 강아지 취급하는 것은 좀…

어쩐지 기분이 나빠진다고? 그럼 물어볼게.

꿈이와 여러분의 차이점이 뭐지?

멍 멍

궁금하다. 어서 알려 줘.

좋아. 나 마틴이 알려 주겠어.

여러분에게는 생각하는 능력이 있잖아.

여러분은 수학 문제를 풀 수 있지만, 꿈이는 풀 수 없어.

사실 수학 문제는 나도 잘 못 풀어.

꿈이는 도둑질하는 게 나쁘다는 것을 모르지만,

?

여러분은 그게 나쁜 행동이라고 판단할 수 있지.

이봐, 존시! 널 현행범으로 체포하겠어.

헉!

그게 바로 꿈이와 여러분의 차이야. 알겠어?

어때? 꿈이와 여러분의 차이를 구별하는 방법이 제법 근사하지?

헉 헉

흑, 잘못했어요.

자, 결정적인 차이는 뭐라고?

생각하는 능력인 이성!

참고로 이성은 철학자들에 따라서 영혼, 정신, 의식, 인격 등 다양한 말로 표현되기도 했어.

나의 맑은 '영혼'을 보라!

너의 숭고한 '정신'을 이어받겠다.

'인간'을 이성적인 동물, 인격을 지닌 존재로 생각하게 된 것은 바로 이런 형이상학의 결과야.

형이상학이 다른 존재들과 인간을 구분하게 해 줬구나.

형이상학

그러나 이성을 중심으로 인간을 보는 관점은 '차이'를 '차별'로 둔갑시켜 버렸어.

차이

즉 인간은 우월하고 다른 존재자들은 열등*하다는 생각이 자리 잡게 만든 거야.

차별

끼이..

*열등 – 보통의 수준이나 등급보다 낮음.

바로 인종 차별주의처럼 말이지. 백인만이 뛰어난 인종이고

주인님, 오셨습니까?

흥!

다른 인종은 열등하다고 믿고 불평등을 강요하는 것이 인종 차별주의야.

유색 인종**은 다 죽어야 해!

으악!

떡

떡

**유색 인종 – 황색, 흑색 등 백색 인종을 제외하고 모든 유색 피부를 가진 인종.

이성을 사용해 일찍 기술 문명을 이룩한 서양의 백인은 우월하고 다른 유색 인종은 열등하다는 생각을 하게 된 거지.

아라라라

저 열등한 것들…. 저놈들도 생각을 하며 사나?

그뿐인가? 인간의 몸도 이성의 훼방꾼으로 취급하기 시작했지.

불완전한 감각을 지닌 쓸모없는 몸뚱이!

인간을 이성적인 존재로 보는 시각은 이렇게 많은 차별과 편견, 문제점을 낳았어.

노예 주제에 어딜 도망가려고!

철썩

철썩

윽!

때문에 존재를 이성으로 굳이 나눌 필요가 없다는 거야!

하이데거가 현존재라는 용어를 새로 만든 것도 바로 이런 이유 때문이지.

개념을 바꾸기 위해 용어를 바꾸고 싶었어.

인간을 '있음' 자체로만 바라볼 때

어떤 편견도 없이 이해할 수 있기 때문이야.

주인님, 왜 그러세요?

우린 모두 똑같은 사람이라고!

그럼 인간하고 다른 존재자들을 어떻게 나눠?

그건 말이야…

인간이 다른 존재자들과 다른 점은 바로 존재함의 독특한 방식에 있다고 생각했어.

존재함의 독특한 방식

그렇다면 인간, 즉 현존재의 독특한 존재 방식이란 뭘까?

인간의 독특한 존재 방식? 두 발로 걷는 것?

에이, 원숭이도 걷잖아!

하이데거는 현존재의 독특한 존재 방식을 '실존'이라고 했어.

실존은 또 뭐야? 아… 헷갈려.

앞에도 말했듯이 새로 만든 단어들을 잘 이해해야 해.

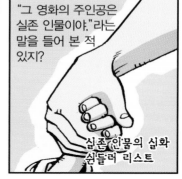

"그 영화의 주인공은 실존 인물이야."라는 말을 들어 본 적 있지?

실존 인물의 실화 쉰들러 리스트

여기에서 '실존'은 실제로 존재하거나, 사실적으로 존재한다는 의미인데,

'쉰들러 리스트'라는 영화는 오스카 쉰들러라는 실존 인물의 이야기잖아.

응!

실존이란 단어 자체를 풀이하면 바로 이거야.

인간이 실존한다는 것은 우선 '있다는 현사실'을 의미해.

현사실?

'현사실'은 하이데거가 인간에게만 사용하는 표현이야.

꿈이는 저리 가!

현사실

반면에 '사실'은 나무, 돌, 강, 강아지 등과 같은 사물들의 존재나,

사실

일어나고 있는 어떤 사건을 가리키기 위한 표현이지.

어려워.

예를 들어 설명해 줄게.

예컨대, 우리 학교 운동장에 나무가 있다는 것은 '사실'이야.

야호!

어제 교실에서 돈이 없어진 사건도 '사실'이지.

누가 내 돈을 가져간 거야?

인간이 존재한다는 것은 사건이나 돈, 나무와 같은 사물들이 있는 것과는 달라.

어떻게 다른데?

혹시 학교 운동장에 있는 나무가 자신의 존재에 의문을 품고 고민하면서 산다는 이야기를 들어 본 적 있니?

나는 과연 어떤 나무일까?

풋, 그런 얘기는 들어 보지도 못했다.

그래, 나무는 그저 운동장에 서 있을 뿐이지.

당연하지.

나무는 존재에 대한 고민을 하며 살지 않아.

이렇게 인간이 아닌 존재자들의 있음을 하이데거는 전재성(前在性)이라고 표현했어.

전재성이란 저 나무처럼 '그저 눈앞에 있다.'는 의미란다.

그럼 인간은 어떨까? 인간 현존재는 사물들과 달리 이 세상에 존재하는 것들과 관계를 맺으며 살아가고 있고,

마틴, 우리 놀자!

난 그냥 나무에 앉아서 쉴래.

그러지 말고 같이 놀자.

존재자들의 존재에 물음을 던질 수 있을 뿐만 아니라,

야, 너 우리랑 같이 놀지도 않으면서 왜 사냐?

사는 이유가 노는 건 아니잖아?

스스로의 존재에 의문을 품고 문제 삼으면서 살아가고 있어.

하기는, 그건 아니지.

우린 왜 존재하는 걸까?

쳇! 안 놀 거면 우린 간다.

나는 어떤 사람일까?

나는 왜 공부를 하고 있는 것일까?

짬뽕을 먹을까, 자장면을 먹을까?

가수가 될까?

변호사가 될까?

컴퓨터는 어떻게 존재하게 되었지?

이렇게 현존재가 어떤 상황에 대해 이러저러하게 태도를 취할 수 있고, 또 어떻게든 태도를 취하려 하는 존재 자체를 '실존'이라고 해.

우리가 이렇게 앉아 고민하는 모습 자체가 '실존'이라 할 수 있어.

그렇구나!

'실존'이 바로 인간과 다른 존재자들을 구별해 주는 특징이지.

이런 독특한 특징 때문에 하이데거는 이렇게 말했어.

인간 현존재가 다른 존재자들보다 '존재적으로 우위'에 있다!

공부를 할 것인지 게임을 할 것인지,

아, 뭐부터 할까?

다른 사람들과 어떻게 관계를 맺을 것인지,

우리 친하게 지내자!

변호사가 될 것인지 아니면 다른 무엇을 할지

내 적성에 맞는 다른 직업 없을까?

걱정하고 고민하는 것이 바로 우리, 인간의 존재 방식이야.

그런데 왜 이렇게 고민하고 선택해야 해?

앞으로의 내 모습이 아직 결정되지 않았기 때문이야.

그래. '존재 가능성' 때문에 우리는 자신의 존재를 문제 삼을 수밖에 없지.

그러므로 이 세상에 존재하는 한,

나랑 놀자!

학원에 갈까? 존시랑 놀러 갈까?

현존재는 스스로 자신의 존재 문제를 해결해야 하는 과제를 갖고 있는 거야.

으악, 어서 선택해야 하는데!

이 과제는 싫든 좋든 받아들일 수밖에 없어.

학원 안 가면 혼 나는데….

놀고는 싶고.

싫다고 엄마 배 속으로 다시 들어갈 수는 없으니까.

세상에 태어난 이상 어쨌든 선택을 하며 살아야지.

그런데 이때 문제가 되는 존재는 언제나 '나' 일 수밖에 없어.

어서 결정해!

으, 응….

각자의 삶이 모두 다르고, 자신만의 방식으로 존재하기 때문이야.

놀러 가자!

그럼 난 학원 갈래!

모든 인간이 다 똑같이 생각하고 행동할 수는 없는 거니까.

이 자식, 네가 놀자며!

이게 내 삶의 방식이야!

"도대체 넌 왜 그렇게 사니?"라고 비판을 할 때조차도

야, 넌 왜 그렇게 사냐?

내가 뭘!

문제가 되는 것은 '너'라는 존재야.

넌 좀 문제 있어. 놀자고 할 때는 언제고 혼자 공부하러 간다고?

내 마음이지!

하이데거는 이것을 '각자성'이라고 표현하면서 이렇게 말했어.

현존재가 말을 건넬 때는 그 존재자의 각자성에 맞추어 언제나 인칭 대명사를 함께 말해야 한다. 즉 "나는 이렇고, 너는 저렇다."라고.

우리는 이렇게 존재를 막연하게나마 이해하면서 자신의 존재를 문제 삼으며 살고 있지.

나는 공부하기 위해 존재할까? 놀기 위해 존재할까?

크크, 너는 노는 존재.

나는 공부하는 존재.

하이데거는 이것을 '실존적 이해'라 불렀어.

나의 존재에 대해 이해하고 문제 삼는 것. 이것을 '실존적 이해'라고 한단다.

이 때문에 현존재는 '존재론적 우위'에 있다고 했지. 기억나?

인간은 존재론에 있어서 다른 것보다 나아.

동식물   무기물

여기에서 사용된 '존재론적'이라는 표현은,

앞에서도 말했듯이 인간 자체가 다른 존재보다 우월하다는 것은 아니야.

단지 인간 현존재가 자신의 존재뿐만 아니라 존재를 이해하고 있다는 의미로 사용한 거야.

당신의 존재에 대해 한 말씀 부탁합니다.

…

보다시피 인간 외에는 존재를 이해할 수 없지.

정리하면 '존재적 우위'란 존재를 이해하는 부분에서는 인간이 더 위에 있다는 의미란다.

존재와 시간

따지고 보면 결국 존재론이라는 학문이 가능한 것도

인간이 실존하기 때문이야.

존재론

인간은 앞으로의 존재 가능성을 염려하기 때문에

미래에 나는 어떤 사람이 되어 있을까?

다른 존재자들과 어떻게 관계를 맺으며 살아갈지,

존시, 어제는 싸웠지만 오늘은 화해하자.

여전히 우리는 친구야.

또 존재자들이 어떻게 존재하게 되었는지 관심을 갖고 연구해야 했거든.

응! 당연히 우리는 친구지!

신의 존재에 대해서 연구했던 이유도 마찬가지야.

신이시여!

내가 왜 존재해야 하는지,

아, 나는 어떻게 존재하게 되었을까?

이봐, 그보다 비가 올지 안 올지를 걱정하라고!

앞으로 어떻게 살아가야 할지에 대해 의문을 품으면서

비는 어떻게 내리는 거지?

글쎄….

신의 존재에 관심을 갖게 된 거야.

만약 누군가 비를 내리게 한다면?

그건 신이겠지?

그래서 하이데거는 현존재는 모든 존재론을 가능하게 하는 '존재적 – 존재론적'으로 우위를 차지하고 있다고 주장하지.

인간은 존재를 이해할 수 있다는 점에서 다른 어떤 존재보다 위에 있습니다.

이렇게 현존재는 실존하기 때문에

음, 열심히 적어야지.

필기보다 먼저 집중 해서 듣자.

인간은 다른 존재자들에 비해서 존재적 우위, 존재론적 우위, 즉 존재적-존재론적 우위에 있어.

동식물 무기물

이로써 기초 존재론에서 존재 물음이 현존재 분석론에서부터 시작하는 이유가 더 분명해진 셈이야.

이제 존재 물음을 왜 인간부터 해야 하는지 알겠지?

네!

분석이란 복잡한 현상이나 대상 또는 개념을, 단순한 요소로 분해하는 일이야!

그럼 인간의 실존을 존재론적인 관점에서 분석하려면 어떤 방법을 사용해야 할까?

이 분석기에 넣고 돌려!

다시 말해 현존재를 분석하기 위해서는 어떻게 해야 할까?

그런 기계로 할 수 있으면 얼마나 좋겠니.

안 되는구나!

보통 우리가 어떤 문제를 해결하려면 방법이 필요하잖아?

음, 이 수학 문제 답이 몇 번이지?

여기서 방법이라는 것이 굉장히 중요한데,

찍자!

공식으로 풀어야지.

어떤 방법을 사용하느냐에 따라 방향이나 결과가 달라지기 때문이야.

존시 영점, 마틴 백점!

으윽!

고흐, 피카소, 박수근이 그린 그림의 여성을 한번 비교해 봐.

고흐 〈아를르의 여인〉

피카소 〈우는 여인〉

박수근 〈아기 업은 소녀〉

같은 여성이라도 어떤 방법으로 그리느냐에 따라 전혀 느낌이 다르지?

하이데거는 어떤 방법을 선택했을까?

그가 현존재 분석을 위해 선택한 방법은 현상학이었어.

옳지, 현상학을 이용해 보자!

현상학이란, 현상을 연구하는 학문을 말해.

어려워.

이 용어는 현상(Phänomen/페노멘)이라는 단어와 로고스(Logos)라는 단어를 합한 거야.

phenomenology
(현상학)

＝Phänomen(현상)
＋Logos(로고스)

그는 이 두 단어가 유래된 그리스 어를 분석하면서 현상학의 의미를 다음과 같이 정의했어.

우선 현상이란 '자기를 드러내는 것' 을 뜻해.

꺄악!

이렇게?

누가 그렇게 드러내래?

로고스는 이성, 판단 등으로 해석되어 왔는데,

로고스
＝이성, 판단

그 표현은 잘못된 거야.

하이데거는 로고스의 참뜻이 '어떤 것을 그 자체로 보여 줌' 이라고 했지.

본질적인 것을 보여 주는 것을 말해.

그러니까 현상학이란 자기를 드러내고, 있는 그대로를 보여 주는 거야.

어떤 것으로도 가려서는 안 돼.

그는 이것을 한마디로 이렇게 표현했어.

'사태 자체로'

어떤 범죄가 발생했을 때,

경찰이 가장 먼저 찾아가는 곳이 어디일까? 맞아. 바로 사건 현장이지.

사건 현장에는 범행의 흔적이 남아 있거든.

경찰은 바로 이 현장에서 발견한 증거물들을 분석해서

범인을 추적해 나가는 거야.

널 꼭 잡고 말겠어.

만일 경찰이 사건 현장에 직접 가 보지도 않고

미리 범인이 어떻다고 판단해 결정한다면,

범인은 키가 크고 흉터가 있다.

자신의 임무를 제대로 수행하지 않은 것이겠지?

범행 동기는 돈이 목적….

증언에 의하면 조직 간의 세력 다툼 이야.

하이데거가 말한 '사태 자체로'란

너도 빨리 나와!

이처럼 직접 자기 앞에 주어진 상황(현상)에서 시작한다는 것을 의미해.

이제 '사태 자체로' 나가 볼까?

좋았어.

이와 같은 현상학적인 방법은 그동안 서양의 형이상학이 인간의 존재 문제를 다루던 방식과 완전히 달라.

현상학적인 길

형이상학적인 길

존재 문제에 대한 답을 찾으려면 길을 선택해야 해.

하이데거처럼 현상학적인 방법을 선택해야겠지?

철학자들은 인간을 인간이게끔 해 주는 본질을 찾아내서

존재와 시간

'인간은 이성적인 존재구나.', '인격을 갖고 있는 존재구나.', '의식을 지닌 존재구나.' 라는 식으로 이해하려고 했어.

병원에 데리고 가야지.

오, 역시 인간은 이성적인 존재야!

하지만 하이데거는 이성이나 인격 등은

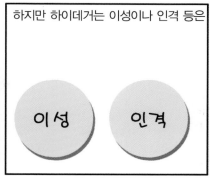

이성

인격

인간이 존재하는 하나의 방식에 불과하다고 봤어.

이성이나 인격을 부정한 것은 아니야.

때문에 이것만으로 인간이 존재한다는 것의 의미를 모두 파악하기 어렵다고 주장했지.

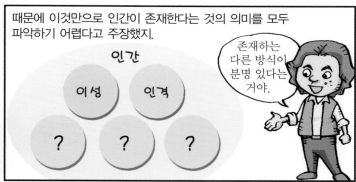

인간

이성　　인격

?　　?　　?

존재하는 다른 방식이 분명 있다는 거야.

그래서 하이데거는 먼저 인간에 대해 어쩌고저쩌고하면서 정의해서는 안 되고,

그러니까 인간이란 이성을 가지고….

그만!

퍼

세계 속에서 살아가고 있는 인간 현존재가

우선 지켜보자!

스스로 자신의 존재를 드러내 보여 주는 모습을

해석해서 전달하고자 했어.

해석! 이게 중요해!

왜?

보통 우리가 말이나 글로 전달하는 것은

마틴에게 편지를 써야지.

모두 해석을 통해 이루어지지.

해석이란 어떤 것에 대해서 판단하고 이해하는 것을 말해.

마틴은 내 좋은 친구니까 편지를 쓰는 거야.

예를 들어, '어, 저기에 장미가 있네.' 라고 말할 때,

어? 장미다.

어디?

우리는 이미 장미가 저기에 있다고 해석했기 때문에 그렇게 말하는 거야.

저기 있잖아.

그렇군!

그래서 하이데거의 현상학을 '해석학적인 현상학' 이라 불러.

나의 현상학은 다른 현상학과는 달라!

해석학 적인 현상학

그런데 자신의 후계자로 지목할 만큼 하이데거를 높이 평가했던 후설은

하이데거는 내 후계자지.

이런 하이데거의 현상학을 읽고 아주 괘씸해 했지.

여기 제 원고입니다.

오, 그래! 잘 보겠네.

후설은 《존재와 시간》을 읽고 나서

부들 부들

화가 나 책을 집어던졌다고 해.

이건 현상학이 아니야!

후설 역시 하이데거만큼 대단한 철학자였단다.

내가 좀 대단해.

하하….

그는 그동안 람베르트, 칸트, 헤겔 등과 같은 철학자들이

현상학은 그런 의미가 아니네.

아니, 다른 의미가 있다니?

그게 그 뜻이 아니야.

람베르트

칸트

헤겔

존재와 시간

다양한 의미로 사용했던 현상학이라는 용어를 하나의 학문으로 만들었어.

내가 이런 사람이야.

그는 당시 유럽을 지배하고 있던 실증주의가 학문뿐만 아니라 사회 전체를 위험에 빠지게 만들었다고 생각했지.

실증주의는 또 뭐야?

실증주의는 관찰이나 실험을 통해

스 웅

객관적으로 검증될 수 있는 지식만을 인정하는, 자연 과학적인 태도를 말해.

이 물의 염분 양으로 봐서 마시면 짜겠군!

한마디로 숫자나, 그래프와 같은 과학적인 자료로

자연은 아름다워!

이 아름다움을 그래프로 나타내면?

증명할 수 없는 것들은 인정할 수 없다는 거야.

에이, 자연이 아름답다는 사실을 인정할 수 없어.

....

예를 들면, 마당에 피어 있는 장미가

장미다!

나에게 어떤 의미인지

작년에 장미가 폈을 때 그녀에게 고백했었지.

실증주의자들은 묻지 않아.

그게 무슨 의미가 있다고. 그건 그냥 장미일 뿐이야.

실증주의 같은 소리를 하는구나.

증명할 수 없으니까.

하긴 나의 이 애틋한 감정을 어떻게 증명할 수 있겠어?

장미의 구성 성분이 뭔지,

오, 장미와 방귀에 인돌과 스카톨이라는 물질이 똑같이 들어 있잖아?

어떤 조건에서 이 장미꽃이 잘 자랄 수 있는지 등을 실험을 통해 밝혀 낼 뿐이야.

상토에서 가장 잘 자라는군.

장미가 마당에 피어 있든,

강가에 피어 있든 단지 실험의 대상일 뿐이지.

그러나 우리가 살고 있는 세계는

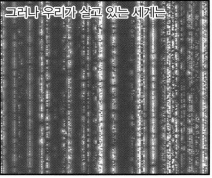

과학으로 증명된 규칙이나 공식으로만 이루어진 세계는 아니야.

우리는 나름대로 경험을 하면서,

이건 우리 우정의 반지야.

응, 고마워!

우리가 만나는 모든 사물들에 의미를 부여하며 살아가고 있거든.

이 반지는 내게 정말 특별해.

후설은 실증주의가 포기해 버린 이런 의미 있는 경험의 세계로 다시 눈을 돌려야 한다고 생각했어.

길에서 파는 반지와는 전혀 다른 반지가 되어 버렸지?

네!

이때 그가 말하는 경험이란 '의식' 활동을 통해 이루어진 경험을 말하는 거야.

의식 활동을 통해 이루어진 경험?

의식이란 감각하거나 인식하는 모든 정신 작용을 말해!

가령, 마당에 피어 있는 장미는 내가 의식하든 의식하지 않든 존재하지!

이봐, 마틴.

학교 다녀왔습니다.

존재와 시간

그러다 만일 대가 '마당에 장미가 있구나.' 하고 의식하지 않는다면

뭔가 재미있는 일이 없을까?

나를 봐! 나랑 놀자.

그 장미는 내게 아무런 의미가 없는 거야.

아, 존시랑 놀아야지!

흑흑!

이렇게 의식이라는 것은 장미와 나를 이어 주는 연결 고리와 같은 거야.

의식

나의 의식이 장미를 향해 있지 않는다면?

텅

당연히 장미가 있다는 것을 알아차리지 못하겠지?

다다다

헉!

이렇게 '향해 있다'는 것을 후설은 '지향성'이라고 표현했어.

하, 죽을 뻔했다. 저 나쁜 놈!

와아—

후설은 현상학이란, 의식이 지향하는 현상(마당에 피어 있는 장미와 같은 대상)을 있는 그대로 사실적으로 분석하고 기술하는 것이라고 했어.

장미는 장미목 장미과 장미속에 속하는 식물이야.

사실적으로 분석하고 기술한다는 것은 아무런 선입견* 없이 현상을 의식한다는 것을 의미해.

여러 장의 꽃잎이 달려 있고 줄기에는 가시가 있구나.

마당에 피어 있는 장미가 파란색인데,

*선입견 – 어떤 대상에 대해 이미 마음속에 가지고 있는 고정적인 관념이나 관점.

'장미는 원래 빨간색이야.' 라는 선입견을 갖고 있다면

어? 장미다.

에이, 이게 무슨 장미야?

마당에 피어 있는 게 장미라는 것을 제대로 인식하지 못할 테니까 말이야.

이건 빨갛지 않으니까 장미가 아닐 거야.

그런가? 장미처럼 생겼는데. 신기한걸.

하이데거는 후설의 현상학에 많은 영향을 받았지만,

현상학은 정말 대단하군!

현상학

그의 스승 역시 그동안 서양의 형이상학이 걸어온 이성 중심의 태도에서 벗어나지 못했다고 비판했어.

스승님의 현상학도 형이상학을 벗어나지 못했습니다.

뭐라고? 어디가!

어떻게 하면 의식을 통해 현상을 제대로 인식할 수 있는지의 문제만을 다루었을 뿐,

장미가 있다는 것을 의식하지 않아도,

정작 중요한 '있음' 자체에 대해서는 묻지 않았다는 거지.

장미는 엄연히 존재하고 있다는 사실입니다.

자, 이것으로 우리의 여행 목적과 방법이 분명하게 드러났어.

존재의 의미를 찾아내기 위해 우리는

존재의 의미를 찾으러 출발!

잠깐!

현상학적인 방법으로 인간 현존재의 존재 의미를 먼저 밝혀내야 해.

어떤 방법으로 찾는다고?

현상학적인 방법!

이를 위해 우선 현존재가 존재하는 그대로의 모습에서부터 시작해야 하지.

그런데 인간이 존재하는 그대로의 모습이란 어떤 거야?

그건 말이야. 세계와 관련이 있어.

물고기가 물을 떠나서 살 수 없듯이,

으악, 나 죽어!

인간은 세계를 떠나서 살 수 없어.

으악, 나 죽어!

수많은 존재자들과 부대끼며 살아가는 것이

아우, 사람들이 너무 많아!

인간의 일상적인 삶의 모습이기 때문이야.

에휴, 학교 갈 때마다 이게 무슨 고생이람.

하이데거는 이런 인간의 존재 방식을 '세계 – 내 – 존재'라고 말했어.

인간은 세계 안에서 존재해.

세계-내-존재

이 말은 인간이 세계 안에 있다는 의미야.

따라서 인간이 세계 안에 있다는 것이 어떤 의미인지를 밝히는 것이 첫 번째 임무지.

세계

인간

이 임무를 성공적으로 마치기 위해서 '세계 – 내 – 존재'에 대해 알아 보자.

세 가지 문제로 나누어 설명할게.

첫째, 세계란 뭘까? 그리고 세계를 어떻게 이해해야 할까?

둘째, 세계 안에서 존재하는 존재자들은 누구일까?

셋째, 세계 안에서 인간은 어떻게 존재하고 있는 걸까? 차근차근 풀어 보자고!

네!

그럼 첫 번째 문제를 풀러 가 볼까?

출발!

현상학의 창시자, 후설

"나는 철학자로 살아왔으며, 철학자로 죽기를 원한다."

▲ 에드문트 구스타프 알브레히트 후설

죽음에 임박해서도 어떻게 하면 철학자로서 훌륭하게 삶을 마감할 수 있을까를 고민한 철학자. 사르트르, 메를로퐁티 등 20세기의 유명한 철학자들에게 영향을 주었던 철학자. 그가 바로 현상학의 창시자로 알려진 에드문트 구스타프 알브레히트 후설(Edmund Gustav Albrecht Husserl)입니다. 하이데거의 스승으로도 유명한 후설이 어떤 사람이었는지, 어떤 사상을 가지고 있었는지 알아볼까요?

후설은 1859년 오스트리아의 프로스니츠(현재는 체코의 프로스초프)에서 2남 1녀 중 둘째로 태어났습니다. 학창 시절 그는 수학에 관심이 많았지요.

17세가 되던 1876년, 후설은 라이프치히 대학에 진학해 수학, 물리학, 천문학, 철학 등을 공부했습니다. 3년 뒤 그는 당시 최고의 수학자들이 모인 베를린 대학으로 옮겨 공부했지요. 이곳에서 그는 수학 자체보다는 수학의 원리와 방법에 대해 연구하는 수리 철학에 많은 관심을 보였습니다. 1883년 가을, 그는 자신에게 가장 큰 영향을 준 철학자이자 심리학자인 프란츠 브렌타노가 있는 빈 대학으로 가서 공부에 집중했습니다.

1887년 할레 대학에서 교수 자격을 취득한 후설은 그곳에서 강사 생활을 시작했습니다. 그러면서 1891년에 《산술의 철학》이라는 책을 썼지요. 이 책은 당시 수학과 철학에 매우 큰 영향을 끼쳤던 심리학주의 입장에서 쓴 책인데, 수학자이자 철학자였던 프레게로부터 많은 비판을 받았습니다.

심리학주의란 심리적인 법칙으로 수학이나 논리의 법칙을 모두 설명할 수 있다는 주장입니다. 예를 들어, 1+1=2라는 수학 공식도 우리가 반복해서 하는 경험이나 습관을 통해서 공통된 특성을 추출해 파악한 것에 불과하다는 거지요. 하지만 이 주장에 따르면 세상에는 확실한 진리가 없습니다. 세상에는 셀 수 없이 다양한 경험과 사례가 존재하는데 그중 누가, 언제, 어디에 적용해도 참이라고 할 만큼 만능의 공식이 나오기는 어렵기 때문이지요. 하지만 수학 공식은 어떤 상황에도 들어맞습니다. 일정한 답이 있지요. 따라서 수와 수학적 진리는 객관적으로 존재한다고 할 수 있습니다.

후설은 수학적 진리가 객관적으로 존재한다는 프레게의 비판을 겸허히 받아들이고 심리학주의에서 등을 돌립니다. 이후 방향을 수정한 그는 9년 동안의 연구를 통해 1900년 《논리연구》, 1901년 《논리연구 2》를 출간하지요. 이 《논리연구 2》에서 그는 현상학이라는 용어를 처음으로 사용합니다. 그러나 그는 프레게와 달리 수학이나 논리적 진리는 우리의 의식에 나타나는 한에서만 진리라고 말합니다. 쉽게 말해 1+1=2가 참(진리)이라고 할 때 이것이 참인 이유는 우리가 그 수식에 대해서 의식하고 답을 산출하기 때문이라는 것이지요. 그래서 그는 의식의 구조를 연구하는 것을 현상학의 임무로 보았습니다.

1911년 후설은 《엄밀한 학문으로서의 철학》을 출간합니다. 그는 모든 학문의 기초가 될 수 있는 가장 궁극적이고도 확실한 근거를 발견하는 학문이 바로 철학이라고 말했지요. 수학, 경제학, 물리학 등 모든 학문이 가능한 근거를 제공하는 것이

바로 철학의 역할이고 현상학을 통해 이를 실현할 수 있다고 했습니다. 이런 의미에서 후설의 현상학이란 수학이나 물리학과 같은 학문을 제대로 연구할 수 있도록 도와주는 일종의 도우미라고 볼 수 있습니다.

그렇다면 후설의 말대로 현상학의 도움을 받아 학문을 연구하려면 어떻게 해야 할까요? 후설은 '판단 중지', '환원' 등의 방법을 제시합니다. 우선 판단 중지란 세상의 모든 지식에 대해 판단을 중지하는 것입니다. 우리는 저마다 자신의 경험에 근거해서 나름대로의 판단을 내리지요. 같은 옷을 보고도 예쁘다, 촌스럽다 등 반응이 엇갈립니다. 따라서 옷이 어떻다 하는 판단, 심지어는 내 앞에 있는 저 옷이 진짜로 있는 것인지 아닌지에 대한 판단을 중지하고 우리의 의식으로 시선을 돌려야 한다는 것입니다. 이때 의식으로 시선을 돌리는 것을 환원이라고 하지요.

의식 속에서 우리는 옷에 대해 할 수 있는 모든 상상을 다해 옷의 본질을 찾아내야 합니다. 이것을 '본질 직관'이라고 하지요. 이것은 마치 불순물이 섞인 오염된 물을 체를 통해 걸러 내는 과정과 비슷합니다. 후설은 학문을 연구할 때도 이런 과정을 거쳐야 한다고 주장했지요.

1916년 후설은 프라이부르크 대학의 정교수로 취임합니다. 바로 이곳에서 하이데거를 제자로 맞이하지만, 결국 현상학에 대한 입장 차이 때문에 서로 멀어집니다. 69세에 교수 자리에서 물러나 1938년 79세의 나이로 세상을 떠날 때까지 그는 활발한 강연 활동을 벌이고 책을 집필했습니다. 그러던 중 유대 인이라는 이유로 나치 정권에 의해 강연과 출판을 금지 당하는 수모를 겪기도 했지요.

▲ 프라이부르크 대학

하지만 이런 어려움 속에서도 77세가 되던 해인 1936년, 《유럽 학문의 위기와 선험적 현상학》을 발표했습니다. 제1차 세계 대전과 경제 공황, 나치의 등장 등을 경험하면서 유럽에 닥친 정신적인 위기를 보고 후설은 사람들이 '생활 세계'를 잃어버렸기 때문이라고 주장했지요. 생활 세계란 우리가 삶을 살아가는 구체적인 세상을 말합니다. 사람들이 과학적 지식을 통해 측정되고 수치화된 자료만을 중요하게 여김으로써 우리가 살아가는 삶에서 일어나는 수많은 문제를 외면했다는 것입니다. 후설은 과학적 지식 역시 생활 세계의 일부에 불과할 뿐이라고 주장합니다. 과학적 지식의 추구를 통해 기술을 발전시키는 것이 중요한 것이 아니라 그것이 우리의 삶에 어떤 의미를 지니는지 진지하게 생각해야 한다는 것이지요. 후설이 주장한 현상학 이론들은 지금도 많은 학문과 문화에 영향을 미치고 있답니다.

제4장 세계란 무엇일까?

나폴레옹은 백만 대군을 이끌고 눈 덮인 알프스 산맥을 넘어야 했어. 유럽을 정복하기 위해서 말이야.

나를 따르라!
유럽을 정복하자!

우아!

우아!

눈보라를 뚫고 산맥을 넘는 일은 무척 힘들었지.

으아,
너무 춥다!

휘 이 잉

사흘 밤낮을 고생하며 겨우겨우 산 정상에 도착했을 때, 그의 군사는 절반으로 줄어 있었어.

드디어
산 정상이다!

그럼 뭐해.
반은 죽거나
행방불명인데!

얼마나 험난한 여정이었는지 짐작이 가지?

진짜 힘들었다고!

그런데 말이야. 망원경으로 사방을 둘러본 나폴레옹이

음….

한마디 하자 모두 기절했어.

이 산이 아닌가 보다.

으아, 말도 안 돼!

꽈당

알프스 산을 넘으면 낙원이 있다. 나를 따르라!

낙원?

어서 가자!

서둘러!

출발!

나폴레옹의 말에 추위와 굶주림에 지친 병사들은 죽을 고생을 하며 다른 산으로 올라갔어.

조금만 참아!

춥고 배고프고 서럽다!

히이잉

헉헉, 힘들어!

도중에 또 절반의 군사가 죽었지.

그런데 이번에도 나폴레옹이 한마디 하자 모두 기절해 버렸어.

어라? 아까 그 산이 맞는가 보다.

그러자 이번에는 부하들이 한마디 했어.

어라? 저 놈은 나폴레옹이 아닌가 봐!

…

푸하하, 웃기지?

데굴

데굴

웃기냐? 난 죽을 뻔했구만!

설마 나폴레옹이 진짜 이랬다고 오해하지는 마! 우스갯소리니까.

그런데 뜬금없이 나폴레옹 이야기는 왜 하는 거야?

그건….

존재의 의미가 뭔지 밝히겠다는 목적을 달성하려고 길을 떠났는데,

존재의 의미에 대해 꼭 알아낼 거야!

앞서 말한 나폴레옹처럼 구체적인 전략 없이 무작정 달려만 간다면

정답 짱

뭐, 이 길이겠지!

으악, 잘못 왔다!

마지막에 '어라, 하이데거 이론이 아닌가 봐' 하는 아주 허탈한 결과가 나오겠지?

존재의 의미라는 목표 지점에 정확하게 도달하기 위해서는 전략을 하나하나 실행시켜야 해.

이 지점에 가려면 전략이 필요하다. 알겠나?

존재의 의미

현 위치

척

넵!

그런데 전략이 뭐야?

전쟁을 이끌어 가는 방법이나 책략을 전략이라고 해.

하이데거는 현상학이라는 방법을 이용해서 먼저 현존재의 존재 의미를 밝히겠다는 전략을 선택했어.

나는 현상학을 통해 존재 의미를 먼저 밝히겠다!

오오!

이 전략을 성공시키기 위해서는

이제 전략을 성공시킬 전술이 필요해.

첫 번째 과제인 '세계가 도대체 뭘 의미하는지'를 현상학적인 방법으로 밝혀내야 해.

세계란 무엇일까?

쉽게 말하면

세계가 뭔지 몰라? 세계란 말이지….

그만!

세계란 이런 거야, 또는 저런 거야라고 머리 굴려 의미를 정의하지 말고,

읍! 읍!

그게 먼저가 아니야!

세계가 스스로 내보이는 모습을 관찰하면서 그 의미를 캐내자는 거지.

우선 관찰이 먼저야!

이 첫 번째 과제는 매우 중요해. 세계를 제대로 이해해야만 '세계-내-존재'가 뭘 의미하는지 알 수 있기 때문이야.

첫 단추를…

잘 끼워야 한다!

일상생활 속에서 우리는 '세계'라는 단어를

내 꿈은 세계를 여행하는 거야.

티벅

티벅

세계에서 가장 긴 강이 뭘까?

철벅

철벅

존시는 종종 혼자만의 세계에 빠져 사는 것 같아.

남자들은 여자들의 세계를 이해 못해.

맞아, 맞아!

매우 친숙하게 사용하고 있고,

내 꿈은 세계 정복이야!

오오.

또 매일 세계 안에서 살아가고 있단다.

그런데 만일 세계가 없다면?

!

세계가 없는 인간의 삶을 상상할 수 있을까?

으악! 끔찍해! 상상하기조차 싫어!

하하

그래서 하이데거는 인간 존재에 대해서 이야기할 때 세계를 절대 빼놓을 수 없다고 했어.

세계가 없으면 인간이 존재할 수도 없지!

현존재와 세계는 본질적으로
떨어질 수 없는 관계라는 거야.

그래서였을까? 그는 세계, 내, 존재
사이에 불편하게 굳이 '-'을
붙이면서까지

현존재는 '세계 - 내 - 존재' 라고
과감하게 선언했지.

현존재는
'세계-내-존재' 다!

이 선언을 들으면서 나는 맞장구를
쳤어.

아하,
그래, 그래!

그러고는 조심스레 이런 질문을
했지.

질문
있습니다.

저는 교과서나 문제집을 풀면서
공부를 하고,

텔레비전을 보고,

누구랑
문자로
그렇게
얘기하는
거야?

휴대 전화로 문자를 보내며 친구와 수다를 떨기도 하고,
분식점에서 떡볶이를 사 먹습니다.

비밀!

때때로 스트레스가 쌓이면 강아지
꿈이를 데리고 공원으로 산책을
나가거나,

기차를 타고 어디론가 훌쩍
여행을 떠나기도 하지요.

이렇듯 제가 교과서, 휴대 전화,
강아지와 같은 수많은 존재자들과
관계 맺을 수 있는 것은

그것들이 모두 세계 안에 함께 있기 때문입니다.

따라서 이 휴대 전화, 강아지 등의 존재자들도 '세계-내-존재' 라고 불러야 하는 게 아닐까요?

오.

맞아! 일리 있어.

….

하이데거는 단호하게 아니라고 대답했어.

왜요?

아니지!

마틴, 인간의 존재 방식이 실존이라는 것을 잊었구나?

휴대 전화는 자기 삶에 관심을 가질 수 없어.

내 삶은 온통 진동과 소음뿐이야!

강아지나 나무와 같은 존재자들도 교과서로 공부를 한다는 게 뭔지, 떡볶이가 뭔지, 또 이것을 어떻게 요리해야 하는지 이해하지 못하지.

멍!

그러나 인간은 달라.

어? 떡볶이 재료네?

인간은 존재자들이 존재한다는 게 뭔지 이해하면서 이런저런 관계를 맺거든.

우아, 웬 떡볶이야?

응, 나무 아래 재료가 있더라.

따라서 세계-내-존재는 인간만의 독특한 실존 방식을 표현하는 거야.

그래서 난 인간이 아닌 존재자들은 '세계 내부적 존재자' 라고 불러.

세계 내부적 존재자?

내가 하이데거에게 인간이 아닌 존재자들도 세계-내-존재로 봐야 하는 거 아니냐는 질문을 했던 것은

질문 있습니다.

세계를 다양한 종류의 과자들이 들어 있는 종합 과자 선물 세트처럼 생각했기 때문이야.

텅텅 비어 있는 공간 안에 인간을 비롯해서 온갖 종류의 존재자들이 들어 있고, 이 모두를 합한 것이 세계라고 생각했던 거지.

오래전부터 나는 거대한 빈 공간에 무언가가 채워져 있고,

그것이 바로 세계라는 생각을 했어.

이런 게 세계 아닐까?

오랜 세월 사람들이 너무나 당연하게 받아들여 왔던 전통의 영향을 받은 거지. 다른 사람들도 이렇게 생각하니까 말이야.

빈 공간에 사물들이 채워져 있는 것이 세계야.

훌륭해!

후후후!

잘 표현했는걸.

누구나 따르니까 '이게 정말 옳은 것일까?'라는 질문을 던지지 않았던 거야.

음, 모두들 나와 생각이 같군.

그러나 하이데거는 달랐어.

이건 문제가 있어!

뭐가요?

이런 식으로 세계를 정의하는 것은 문제가 있다고 생각했거든.

지금부터 그 문제점에 대해 말해 줄게.

그래서 하이데거는 이 문제가 어디서부터 시작되었는지 따져 보기 시작했어.

꼼꼼하게 조사하고 연구하면서 그는,

근대 철학의 아버지라 불리는 철학자에서부터 이 문제가 시작되었다고 확신했지.

범인은 당신이야!

1장을 꼼꼼하게 읽은 친구들은 바로 알아챘을 거야. 그 사람은 바로?

데카르트!

맞아. 데카르트야.

내, 내가 뭘 어쨌다고?

사실 하이데거가 데카르트의 철학을 비판하고 있지만,

잘못된 관념이 생긴 것은 당신 탓이오!

나만 갖고 그래.

학문을 연구하는 태도에 있어서는

하이데거만큼 데카르트도 역시 높게 평가하고 싶어.

왜냐고?

신의 말씀이라면 무조건 받아들여야 했던 시대에

나는 신의 대리자이니 내 말이 곧 진리다.

'이건 아니야' 라며 이의를 제기한 용감한 사람이었거든.

교황님, 그건 아니라고 생각합니다.

뭐라고? 네놈이 감히!

그러고 보면 참 재미있네.

뭐가?

중세 철학을 거부하고 근대 철학을 새로이 연 사람이 데카르트인데,

나는야 근대 철학의 아버지!

그 역시 하이데거에게 아주 혹독한 비판을 받았으니까 말이야.

그러네!

데카르트 입장에서야 하이데거의 비판이 달갑지 않겠지만

흥!

철학이라는 게 바로 이런 과정을 거쳐서 한 단계씩 발전하는 것이니까.

오늘 또 한 걸음 전진했어.

철학

관심을 갖고 비판하는 일은 굉장히 의미 있지.

당하는 사람 입장도 생각해 줘.

데카르트는 열 살 때부터 9년 동안 예수회 신학교에서

신학 중심의 철학인 스콜라 철학을 배웠어.

신의 말씀이다. 그러니 옳은 거야!

스콜라 철학은 '신'이 중심인 학문이야.

세상의 중심에는 오직 신만이 있고

정말 세상의 중심에는 신만이 있나요?

음….

인간이 할 수 있는 일이라곤 복종하는 것밖에는 없다고 여겼으니

저 놈을 잡아라!

네!

왜요?

여기에 의문을 갖는 것은 용납되지 않았지.

없습니다.

질문 있나?

하지만 그는 '과연 그럴까? 정말 그걸로 해결되는 것일까?' 라고 의심했어.

정말 인간이 할 수 있는 일이란 신에게 복종하는 게 다야?

그래서 그는 학교를 졸업하자마자

드디어 졸업이다!

이전에 배운 어떤 것도 받아들이지 않고 완전히 다시 출발해야겠다 마음먹었지.

진리에 대한 공부를 다시 시작해야겠어.

그는 모든 것을 의심해 보고 부정하는 과정을 반복하면서

과연 저것이 진리일까?

마침내 더 이상 의심할 수 없는 확실한 진리를 발견했어.

그래 바로 이거야!

바로 '의심을 하고 있는 나, 즉 뭔가를 생각하고 있는 나'만은 확실하게 존재한다는 거였지. 여기에서 데카르트의 유명한 말이 나왔어.

나는 생각한다, 고로 존재한다.

내가 존재하는 것은 마틴이라는 이름 때문이 아니고,

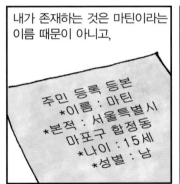

주민 등록 등본
*이름 : 마틴
*본적 : 서울특별시 마포구 합정동
*나이 : 15세
*성별 : 남

회사원이나 의사 같은 사회적인 지위 때문도 아니고,

잘생긴 얼굴이나 탄탄한 근육 같은 육체 때문도 아니야.

풋!

오직 생각하는 자체, 즉 정신(이성) 때문이라는 거지.

내가 진정한 마틴이다!

데카르트에 따르면 인간의 육체, 즉 몸은 말이지,

강아지나 사과, 컴퓨터 같은 사물처럼

시간이 지나면서 변하고 없어져 버려.

자연의 법칙에 충실히 따르는 거지.

그뿐인가? 길이와 넓이, 무게라는 요소를 가지고 일정한 공간을 차지해.

이런 물질적인 요소를 데카르트는 '연장'이라고 이름 붙였어.

좀 어렵게 말하면 '연장이란 공간을 차지하고 있는 실체' 야!

어떤 친구는 나더러 잘생겼다 하고, 다른 친구는 귀엽다고 하지.

아잉! 내 입으로 말하려니 쑥스럽네.

이 허풍쟁이!

이처럼 사람에 따라 내 외모에 대한 평가는 달라.

마틴은 개성 있게 생겼어.

무슨 뜻이야?

하지만 현재 내 키가 160cm이고, 몸무게는 50kg,

가슴둘레는 85cm이며,

가슴둘레는 85cm.

이 세계의 어딘가에서 공간을 차지하고 있다는 것은 변하지 않는 성질이지.

이렇게 변하지 않는 특징을 '실체' 라고 해.

우리의 육체, 사과, 볼펜, 나무 같은 물질은 연장이라는 성질을 갖고 있는 실체야.

실 체

데카르트는 세계를 연장을 갖고 있는 물질들의 총합으로 해석했지.

물질+물질+물질 =세계

나는 세계를 이렇게 정리했단다.

앞에서 내가 말했던 세계와 생각이 같지?

응, 그러네.

그렇다면 정신은 어떻게 해석했을까?

정신?

정신은 우리의 몸과는 달리 형태도 없고 공간을 차지하고 있지도 않아.

연장이라는 성질을 가지고 있지 않다는 거지?

그렇지!

한마디로 아주 자유로워.

왜?

'생각함' 이라는 성질을 갖고 있으니까.

어렵게 이야기하면, 정신이라는 것은 '사유' 라는 성질을 갖고 있는 실체야.

개념, 구성, 판단, 추리 등을 하는 인간의 이성 작용을 사유라고 해.

그렇군!

내 몸은 서울의 어느 옥탑 방에 있지만,

나의 정신은 자유롭게 날아서 미국으로 갈 수도 있고,

나는 존시의 '정신' 이야.

저 멀리 있는 아프리카로 날아갈 수도 있어.

아프리카

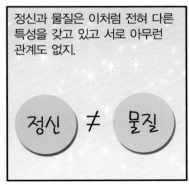

정신과 물질은 이처럼 전혀 다른 특성을 갖고 있고 서로 아무런 관계도 없지.

정신 ≠ 물질

하지만 정신은 나무, 강아지, 볼펜, 우리의 육체와 같은 물질을

인식할 수 있는 특권을 지니고 있어.

저건 나무, 저건 강아지, 저건 볼펜이야.

한마디로 정신은 인간의 몸이나 물질보다 우수하다는 거지.

정신 > 물질

세계란 무엇일까?　**129**

이제 중요한 것은 우리 인간이 정신, 즉 이성이라는 아주 특별한 능력으로 세계의 비밀을 캐내야 한다는 거야.

정신

거야 이야기냐

세계라는 공간 안에 있는 물질들을 인식해서 진짜와 가짜를 가려내고 진리를 찾아내는 거지.

이건 아니네.

찾았다!

휙

데카르트의 이런 주장은 사람들에게 굉장한 충격이었을 거야.

왜?

오직 신만이 진리를 알고 있다고 믿는 사람들에게

오직 신만이 진리를 알고 계십니다.

흠, 흠!

인간은 신이 없어도 이 세상의 주인으로서 당당히 진리를 찾을 수 있습니다.

그러니 이제 열심히 찾아 봅시다. 여러분들은 이 세계의 중심, 즉 주체입니다.

라고 말했으니까 말이야.

무슨 소리 하는 거야?

왕성

인간이 세상의 주인 이라고?

인간이 해야 할 일은 이성의 능력을 사용해 눈앞에 있는 존재자들을 인식해야 한다는 거지.

저기 장미가 있구나!

인식!

인식이란 사물을 분별하고 판단해서 아는 거야.

데카르트 이후 인식을 중요하게 여긴 근대 철학자들은,

이들을 인식론자라고 해!

존재와 시간

인식을 아주 중요하게 여겼어.

무언가를 인식하는 것이 가장 중요해! 왜냐고?

눈앞에 있는 것들이 진짜인지 가짜인지, 그것의 정체가 무엇인지 먼저 알아내야

어떻게든 이용할 수 있으니까 말이야.

진짜 금이다! 이건 팔 수 있겠어.

예를 들어, 우리 집 창고에는 망치가 있어.

그런데 망치가 실제로 존재하는지 어떻게 알 수 있지?

저게 과연 실제로 있는 걸까?

혹시 못된 악마가 장난이라도 쳐서 망치가 진짜로 있다고 믿게 만든 것은 아닐까?

저기에 있는 저것은 망치야!

내가 보고 있는 망치가 원래의 망치와 똑같은 것일까?

호, 혹시 내가 잘못 알고 있는 것은 아닐까?

자, 먼저 내 눈에 보이는 저 망치는

그래. 아직은 망치라고 단정할 수 없으니까 'X'라고 부르자.

일단 망치가 아닌 X라고 부르겠어.

X는 먼저 길이가 70cm이고, 무게가 2kg이야. 끝부분은 단단한 쇠로 되어 있는데, 무언가를 박을 수 있게 뭉툭해.

그리고 쇠 부분이 긴 막대와 연결되어 있어서 손으로 잡을 수 있어.

대충 망치 느낌은 나는걸?

그래! X는 망치로 해석되었어.
그럼 못을 박아 볼까?

망치가 맞잖아!

탕

근대의 철학자들이 망치를 대하는 태도가 재미있지 않니?

어떻게 보면 좀 웃기기도 한데, 인식론자들은 정말이지 아주 진지하게 고민했지.

음, 이것이 과연 망치일까?

아닐지도 모르지요.

골치가 아파서 머리를 쥐어뜯은 사람도 있었을 거야.

그렇다면 망치란 뭐지?

진정해.

그런데 말이야, 혹시 여러분 중에

망치를 저런 식으로 먼저 인식하고 나서 사용하는 사람이 있니?

저 망치가 과연 망치일까? 내가 잘못 인식하고 있는 것은 아닐까?

일상생활에서 우리는 인식론자들의 방식이 아니라, 실천적인 관점에서 망치를 사용해.

어? 망치다!

!

못을 박을 일이 생기면

벽에 연예인 포스터를 걸고 싶은데….

이전에 봤던 창고의 망치를 생각해 내고는

맞아. 벽에 못을 박아 걸면 되지!

망설이지 않고 바로 못을 박지.

탕
탕

닭이 우는 소리를 듣고

꼬끼오

"아, 닭이다. 꼬끼오 소리가 들려."
라고 하지,

꼬끼오

음….

닭 울음소리가 들리네.

닭의 소리는 이러저러해야 하고 소리의 파장은 얼마라고 인식한 다음에

음, 닭 울음 소리와 파장이 같아. 그러니 이 소리는!

이렇게 말하지는 않잖아.

닭 울음소리야.

?

하이데거가 데카르트를 비롯해서 인식론자들을 비판했던 이유도 바로 이 때문이야.

당신들의 생각은 잘못되었습니다!

끄응

세계란 흔히 생각하듯 수많은 존재자들로 채워져 있는 공간이 아니라는 거지.

그리고 인간과 세계의 관계는

이성을 소유한 인간이 세계 속에서 공간을 차지하고 있는 존재자들을 인식하는 관계가 아니라는 거야.

저기 나무가 있구나!

사람들은 못을 박기 위한 도구로 망치를 사용하고,

쾅 쾅

닭을 요리해서 먹어.

치킨 좋아하지?

치킨

응!

집을 짓는 재료로 돌을 사용하고,

졸업식 선물로 꽃을 선물하는 등

졸업 축하해!

응, 고마워!

아주 구체적인 체험을 통해서 존재자들과 관계를 맺고 있지.

우아, 향기 좋다!

우리가 살아가고 있는 세계란 데카르트 식의 세계와는 전혀 다르다는 게 하이데거의 생각이야.

찰칵!

그럼 도대체 하이데거가 말하는 세계란 무엇일까?

마구 마구 궁금해지는 걸?

퀴즈를 푸는 데 정답을 바로 공개하면 재미가 없겠지?

다음 단계에 도전하시겠습니까?

음….

한 단계 한 단계씩 해결해 나가 보자.

다음 단계 도전!

일단 인간 현존재가 일상적으로 살아가고 있는 세계가 어떤 모습인지 살펴봐야 해.

현상학적인 방법으로 풀어 보자는 거지.

어디… 살펴볼까?

자, 주위를 한번 둘러봐. 사람들이 일상적으로 살아가는 모습을 보자고.

두리번

두리번

사람들은 대개 컴퓨터로 인터넷을 하고,

타 탁 탁

텔레비전을 보고, 망치를 사용하고,

탕 탕 탕

텔레비전 보는데 좀 조용히 해!

수저로 밥을 먹고, 연필로 공부를 해.

지하철을 타고 이동하고, 비가 오면 우산을 쓰기도 하지.

비가 많이 오네.

그러게.

사람들은 일상생활을 하는 동안 이처럼 많은 존재자들에 둘러싸여 있고,

세계에서 만나는 존재자들을 도구로 사용하기도 해.

비가 많이 오니 우산을 들고 가자!

척

하이데거 식으로 표현하면, 왕래하면서 관계를 맺고 있지.

이 도구적 존재자들과 왕래하면서 관계를 맺는 것을 하이데거는 이렇게 표현했어.

배려 (Besorgen, 베조르겐).

도구는 인간이 사용하기 위해서 만든 거야.

이야, 완성! 이것으로 사냥을 해야지!

세계에서 우리가 일상적으로 만나는 존재자들은 이런 도구적 존재자들이야.

이 도구들을 하이데거는 '세계 내부적 존재자'라고 불렀어.

안녕, 세계 내부적 존재자!

그런데 이 도구적 존재자들은 참 재미있는 존재 방식을 갖고 있단다.

재미있는 존재 방식?

응! 변신을 잘 하거든.

창고에 있는 망치를 예로 들어 볼까?

내가 망치를 사용하지 않으면 망치는 단지 눈앞에 있는 것에 불과해.

망치가 저기 있구나!

이때 망치가 존재하는 방식을 '눈앞에 있음'이라고 하지.

망치가 눈앞에 있을 뿐이야.

하지만 못을 박기 위해 창고에서 망치를 꺼낸다면

상자에 못을 박아 볼까?

나는 이 망치를 못을 박기 위한 용도로 사용하는 거야.

탕 탕

이런 존재 방식을 하이데거는 '손 안에 있음'이라고 했는데

망치는 내 손 안에 있어.

망치라는 존재자를 사용하지 않을 때는 '눈앞에 있음'의 성격을 띠지만,

눈앞에 있음

사용할 때는 '손 안에 있음'의 성격으로 바뀌지.

손 안에 있음

망치를 잘 사용하려면 망치가 손에 익어야겠지?

내가 망치질을 좀 하지!

손에 익지 않는다면 못을 박다가 손가락을 다치거나

으악!

도리어 벽이 망가질 수도 있으니까 말이야.

으악, 엄마한테 혼나겠다.

이 '손안에 있음'이 바로 도구의 존재 양식이야.

그런데 당장 못을 박아야 하는데 망치가 망가진다면?

어?

"에잇, 왜 안 되는 거야?" 하면서 불평할 거야.

뭐야, 이거 왜 이래?

망치에 문제가 없다면 나는 못을 박는 데 열중하느라 망치의 존재를 잊어버리겠지.

가만, 요 위치가 맞나?

그러니까 망치가 망가지는 순간 망치의 존재가 눈에 들어오는 거야.

어, 망치가 왜 이래?

손잡이가 망가졌나? 쇠가 문제인가? 유심히 살펴보게 되니까.

뭐야? 머리 부분이 어디 갔어?

두리번 두리번

그럼 여기서 질문 하나 할까? 망치는 왜 사용하지?

당연히 못을 박기 위해서 사용해!

맞아, 어떤 도구를 가지고 어디에 사용하는 것을 하이데거는 '사용 사태'라고 해.

벽에 못을 박으려면 망치질을 해야 해.

그런데 못은 왜 박아야 하지?

그야, 좋아하는 연예인 포스터를 벽에 걸어야 하니까.

이것을 좀 정리해 볼까?

망치 → 못 박기 → 포스터 걸기

이런 식으로 망치는 못을 가리키고, 못은 다시 포스터를 가리키고 있어.

이렇게 도구라는 것은 사용하는 용도에 따라 다른 것을 가리키고(지시하고) 있는데,

망치 → 못 박기 → 포스터 걸기

이런 연결 관계를 '사용 사태의 전체성'이라고 해.

전체성이란 '여러 사물이 밀접하게 연결되어 하나의 체계를 이루고 있는 성질'을 뜻해.

우리가 도구를 상황에 맞게 사용하려면 '사용 사태의 전체성'을 잘 알고 있어야 해.

망치는 못을 박아 무언가를 지탱할 수 있게 해 주지.

망치를 밥을 먹는 데 사용한다면 제대로 사용할 수 없겠지?

무, 무거워.

….

아! 그런데 연예인 포스터는 도대체 왜 거는 거야?

그 연예인을 좋아하기 때문이지. 얼굴을 보면 행복해지거든.

사람들은 언제나 자신이 하고자 하는 어떤 것, 즉 목적에 맞는 도구를 선택해 사용한단다.

망치야, 나의 행복을 위해 수고하렴!

목적을 이루기 위해 망치, 못, 포스터 같은 도구적 존재자들에 의미를 부여하는 거지.

하이데거 식으로 표현하면

'현존재의 존재 가능' 때문에 의미를 두는 거야.

사람들이 여러 도구를 사용할 때 하나의 목적만을 갖는 것은 아니야.

공부를 하기 위해서는 연필을 사용하고….

스트레스를 풀기 위해서는 컴퓨터로 게임을 하기도 하지.

수많은 목적들이 마치 거미줄처럼 얽혀 있어. 저마다 다른 목적을 갖고 그 목적에 따라 도구들에 의미를 부여해 사용하는 거야.

이런 의미 부여와 관련된 연관 전체를 '유의미성'이라고 하는데, 이게 바로 하이데거가 말하는 세계야.

나는 이것을 독특하게 '세계의 세계성'이라고 했지.

폭력배의 세계에서 망치는 살인을 위한 도구로 사용될 수도 있고,

목수의 세계에서는 집을 짓는 도구로 사용될 수도 있어.

폭력배의 세계와 목수의 세계는 분명 달라.

나의 세계와 하이데거의 세계 역시 같을 수 없지.

내가 연필이라는 도구적 존재자를 좋은 직장을 얻겠다는 목적에 사용한다면,

대기업에 취직하려면 공부를 잘해서 좋은 대학에 가야 해!

하이데거는 연필을 철학에서 진리를 찾기 위한 도구로 사용하기 때문이야.

우리가 사는 세계란 어떤 곳일까?

데카르트처럼 세계를 하나의 공간으로 보고 그 안에 모든 존재자들이 속해있다고 해 버리면

인간은 교과서, 나무, 강아지 등의 수많은 존재자들 틈에 끼어 그저 자리를 차지하고 있는 존재자가 되어 버려.

이것이 바로 세계야.

그러나 하이데거에 따르면, 인간이 세계 안에 있다는 것은

세상은 그런 게 아니야!

컴퓨터가 책상 위에 놓여 있거나, 책꽂이에 책들이 있듯이

그렇게 어떤 공간을 차지하고 있다는 의미가 아니라는 거지.

세상은 빈 공간과 그 공간을 채우고 있는 무언가가 아니야.

인간은 각자 자기 삶에 관심을 기울이면서

요트를 사서 멋지게 세계 여행을 해야지.

존재자들과 밀접한 관련을 맺으며 살아가고 있는 거야.

드디어 요트를 장만했다!

굉장히 멋지지 않니?

요트가?

아니, 나….

각자가 어떤 목적을 갖느냐에 따라 자신만의 세계를 만들어 갈 수 있다는 거잖아.

부웅~

비록 빌린 거지만 목적을 이루었어.

정말 멋진데!

이 책을 읽는 동안 여러분도 자신만의 세계를 그려 봤으면 좋겠어.

이 빈 공간에 한번 그려 봐!

그럼, 잠시 각자의 세계에 대해 생각하는 시간을 갖고 다음 장에서 만나자.

이따 봐!

인식론의 발전

▲ 소크라테스 두상

철학은 크게 존재론, 인식론, 가치론 세 줄기로 나눌 수 있습니다. 그중 인식론은 지식의 본질, 기원, 근거, 한계 등을 이론적으로 연구하는 학문입니다. 쉽게 말하면, '안다는 것은 무엇일까?', '어떻게 알 수 있을까?', '우리가 무엇에 대해 안다고 이야기할 때 과연 그것에 대해 진짜로 안다고 할 수 있을까?' 등에 대해 탐구하는 것이지요.

인식론은 지식, 인식이라는 뜻을 지닌 그리스 어의 에피스테메(episteme)와 이론이라는 의미의 로고스(logos)가 합쳐진 용어입니다. 페리어라는 철학자가 1754년에 발표한 《형이상학원론》에서 최초로 썼고, 19세기 중반 이후 널리 쓰였습니다. 용어가 생긴 지는 얼마 되지 않았지만 지식에 대한 탐구는 고대 그리스 시대부터 활발하게 이루어졌습니다. 고대의 인식론부터 함께 살펴볼까요?

먼저 인식론의 선두 주자라고 할 수 있는 소크라테스는 지식의 본질이나 지식을 획득하는 방법에 대해 관심을 가졌습니다. 뒤이어 플라톤은 인식론 문제를 더욱 체계적으로 연구했지요. 그는 인식의 활동을 지식과 억견으로 구분했습니다. 지식이란 틀림없는 것으로, 객관적으로 증명할 수 있는 것이고, 억견은 정확한 근거 없이 짐작으로 이루어지는 생각이나 신념을 의미한다고 했지요. 그는 참된 지식이란 '로고스를 수반한 참된 억견'이라고 정의했습니다. 객관적으로 증명이 가능한 것에 대한 신념이라는 뜻이지요. 중요한 것은 그가 참된 세계라고 생각했던 이데아를 인식하는 문제였습니다.

아리스토텔레스는 연역 추리(이미 증명된 전제들을 가지고 새로운 판단을 이끌어 내는 방법. 예: 모든 사람은 죽는다. 소크라테스는 사람이다. 따라서 소크라테스는 죽는다.)의 규칙을 세우고 감각, 기억, 사고 등 인식과 관련된 마음의 여러 가지 기능에 대해 탐구했습니다. 그는 자연적 수단으로 얻거나 이성으로 설명할 수 있는 지식에 관심을 가졌습니다.

모든 것이 신 중심으로 돌아갔던 중세 시대에는 신의 계시를 통해 진리를 파악하는 것이 핵심이었습니다. 인간은 신의 피조물이고 이성 역시 신에게서 받은 일종의 선물과 같은 것이었지요. 모든 진리는 신에게서 나오는 것이기 때문에 신의 진리를 아는 것이 무엇보다 중요했습니다.

그러나 인간을 중심으로 한 문화 운동이 서서히 번지기 시작하면서 르네상스 시대가 도래했습니다. 과학 혁명, 종교 개혁 등이 일어났으며 교회는 권위를 잃고, 신은 인간의 관심으로부터 밀려났습니다. 이제 세상의 주인이 된 인간은 세상이 어떤 법칙에 의해 돌아가는지, 세상의 진리는 무엇인지 알아내는 데 관심을 가졌습니다.

근대가 되자 인식론자들은 진리에 도달할 수 있는 올바른 방법만 알면 누구나 진리에 도달할 수 있다고 믿었습니다.

다만 지식을 얻는 방법에 관해서는 17~18세기에 합리론과 경험론으로 입장이 나뉘었어요. 접근 방법은 달라도, 합리론과 경험론 모두 우리의 이성(주관)이 자연의 진리(객관)를 인식

▲ 로크

할 수 있다는 확신에서 출발한다는 점에서는 같았습니다.

데카르트, 스피노자, 라이프니츠 등의 합리주의자들은 인간에게는 타고난 지식이 있다고 주장합니다. 데카르트는 인간의 이성을 믿고 확실한 것에서 확실한 것으로 추리해 가면 진리를 인식할 수 있다고 생각했습니다. 신의 존재는 물론이거니와 사물의 존재도 이성의 추리 능력을 통해 알 수 있다는 것입니다. 그러나 여기에는 심각한 문제가 있습니다. 예를 들어, A라는 사람은 이성을 통해 신의 존재를 알았지만, B라는 사람은 이성을 통해 추리해 본 결과 신이 없다고 주장할 수 있는 것입니다.

반면 로크, 버클리, 흄 같은 영국의 경험주의자들은 지식의 근원을 경험에서 찾고자 했습니다. 그들은 인간의 정신은 태어날 때 백지와 같은 상태라고 말합니다. 때문에 오직 경험을 통해서만이 지식을 얻을 수 있다고 여겼습니다. 그러나 경험에 의한 지식은 사람마다 다를 수 있습니다. 그래서 흄 같은 사람은 이 세상에 확실한 지식은 없다는 회의에 빠지기도 했지요.

이후 칸트는 경험론과 합리론의 문제들을 살펴보고 두 가지 입장을 종합하려고 시도했습니다. 그는 합리주의자들이 믿는 것처럼 이성의 능력이 무한하다고 생각하지 않았습니다. 신처럼 우리가 이 세상에서 경험할 수 없
는 것들은 이성의 능력으로도 알 수 없다는 것입니다. 다만
경험할 수 있는 것들에 한해 지식을 얻을 수 있다는 것입니
다. 그러나 인간의 정신 안에는 공간, 시간, 원인, 결과 등
의 개념들이 이미 들어 있어서 굳이 경험을 통해 자료를 모
으지 않아도 세계에 대한 지식을 얻을 수 있다는 것이지요.
합리론과 경험론으로 대립해 왔던 당시로서는 세상이 뒤집
힐 만큼 엄청난 생각이었습니다. 그래서 인식론을 완성했
다는 극찬을 받기도 했습니다. 칸트 이후 신칸트학파나 후

▲ 칸트

설의 초월론적 현상학 등 여러 인식론이 등장했지만 이런 이론들은 칸트의 인식론
을 되풀이하는 것에 불과하다는 평가를 받았습니다.

제5장 세계 내에 존재하는 '사람들'은 누구일까?

골라! 골라! 단돈 2,000원.

티셔츠 한 장이 단돈 2,000원!

거기 젊은 언니! 이거 공짜나 다름없다니까.

하나 주세요.

어머, 정말 싸다.

혹시 남대문 시장이나 동대문 시장에 가 본 적 있니?

그곳에 가면 가끔 이렇게 목청을 높여서 물건을 파는 아저씨나 아줌마들을 볼 수 있어.

생선 보세요! 아주 싱싱해요!

우리 과일, 진짜 달아요!

대형 마트나 백화점 같은 곳에서는 볼 수 없는 재미있는 광경이지.

존재와 시간

요즘에는 시장이 점점 줄어들고 있어서 옛날만큼 이런 광경을 자주 볼 수는 없지만 말이야.

대형 마트 때문에 먹고살기 어렵네요….

걱정이야….

어쨌든 어제 시장에서 좌판을 벌이고 열심히 옷을 팔고 있는 아저씨를 봤는데,

자, 이 천으로 말하자면 땀 흡수가 아주….

아저씨가 얼마나 재미있게 말을 하는지 주변에 사람들이 우르르 몰려서 시끌벅적했어.

아주 그냥 끝내줘요.

하하하하하!

어떤 사람은 티셔츠를,

이 옷 어때? 괜찮아 보여?

응! 잘 어울린다.

또 다른 사람은 바지를 고르고 있었지.

아, 이 바지 마음에 드는데 허리가 너무 작아.

그러니까 살 빼요.

옷을 파는 아저씨와 여기저기 널려 있는 옷을 고르는 사람들을 보니까

이 옷 내가 먼저 골랐어!

웃기지 마, 내가 달려오면서부터 찍었던 거야.

자, 싸우지 마세요. 다른 멋진 옷도 많아요!

옷이라는 존재자가 저렇게 아무 의미 없이 놓여 있는 게 아니라는 생각이 들더라.

음….

저 옷이 사람들에게 팔리기까지 참 복잡한 과정들이 얽혀 있겠구나 하는 생각이 드는 거야.

어떤 과정이 있었을까?

사람들이 옷을 사 입으려면 먼저 옷이 만들어져야겠지?

옷을 만들려면 옷감이 필요해. 옷감에는 비단, 삼베, 가죽, 면, 합성 섬유 등이 있어.

이 옷감들은 누에, 마, 목화 등으로 만들어졌어.

디자이너는 우선 티셔츠, 바지, 한복, 속옷 등 어떤 종류의 옷을 만들 것인지 결정해야 해.

오늘은 어떤 옷을 디자인할까?

그래야 사용할 옷감을 정할 수 있으니까 말이야.

뭔가 우아하고 고상하며 세련된 디자인으로….

디자인이 결정되면 알맞은 옷감을 구입하고 디자인에 따라 마름질을 해.

옷감을 치수에 맞게 재거나 자르는 일을 마름질이라고 해.

마름질이 끝나면 공장 또는 의상실에서

바늘과 실, 재봉틀로 옷을 완성하지.

후유, 좀 복잡하지?

도구를 사용해서 옷을 만들 수 있는 것은

거기에 어떤 재료들이 필요한지 이미 이해하고 있기 때문에 가능한 거야.

음, 이번 단계에서는 바느질이 필요해!

이해하지 못한다면 옷이라는 존재자를 못 만나겠지.

그렇구나!

자, 어쨌든 시장에서 옷을 파는 아저씨는 이렇게 완성된 옷을 가져와서

영차!

필요한 사람들에게 팔고 있는 거야.

자, 날이면 날마다 오는 것이 아냐!

옷을 파는 사람이나,

아저씨, 여기 이 옷 주세요.

네, 여기 있습니다.

사는 사람들은

마음에 쏙 들어.

저마다 자신의 목적에 따라 옷을 사용하겠지?

아마도 옷을 파는 아저씨는 자식들 학원비를 마련하거나

철수 학원비 내는 날이 내일까지랬지? 더 열심히 하자!

또는 집을 장만하기 위해 장사를 하고 있을지도 몰라.

하루 빨리 내 집 마련의 꿈을 이루리라!

운동복을 고른 아저씨는

저 옷을 입고 아침 일찍 운동장에 나가서

친구들과 함께 축구를 할지도 몰라.

자, 플레이 볼!

한 골 넣어 볼까?

건강을 위해서 또는 친구들에게 축구를 잘 한다는 것을 보여 주기 위해서 말이야.

골!

오!

사람들은 이렇게 저마다의 목적을 가지고 필요한 옷을 골라.

아이 옷이 작아졌어.

내일 창영이 만날 때 입고 가야지.

'아! 저기에 옷이 있구나, 이제부터 어디에 사용할지 찾아봐야겠군.' 이렇게 존재자를 만난 뒤에 목적을 찾지는 않지.

웨딩드레스가 있네. 이제 결혼해야겠어.

남자 친구부터 구해서.

즉 인간은 자신의 목적을 이루기 위해서 사용해야 할 존재자들이 무엇인지,

옷을 팔아서 철수 학원비를 벌려면….

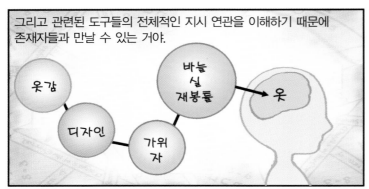

그리고 관련된 도구들의 전체적인 지시 연관을 이해하기 때문에 존재자들과 만날 수 있는 거야.

옷감

디자인

바늘 실 재봉틀

가위

옷

지시 연관이 우리에게 드러나지 않으면 우리는 존재자를 발견할 수 없지.

자, 재료들을 원래 자리에 갖다 놓자.

나도 제자리에 놔라, 좀!

하이데거는 이를 두고 이렇게 표현했어.

세계가 현존재에게 열려 있다.

가령 축구 경기장이라는 작은 세계를 살펴볼까?

선수들이 입고 있는 운동복을 운동복으로,

운동장에 세워져 있는 축구 골대를 축구 골대로 이해하기 위해서는

경기장 내의 모든 존재자 사이에 성립하는 목적과 도구의 전체적인 지시 연관 체계를 이해해야 해.

만약 축구 선수 중 한 사람이 운동복이 아니라 발레복에 스케이트를 신고 나간다면?

또는 축구 골대가 거꾸로 놓여 있다면?

'저 사람 정신이 이상한 거 아냐?'

'축구 골대가 잘못 놓여 있네?' 라는 반응이 나오겠지?

시장에서 옷을 샀다는 건

단지 옷을 샀다는 것에서 그치는 게 아니야.

2,000원짜리 티셔츠라는 존재자를 통해서

우리는 옷의 재료들,

옷이 만들어진 작업장의 세계,

이 옷을 만들도록 지시한 제작자의 세계,

지시에 따라 옷을 만든 사람들의 세계,

옷 파는 상인의 세계

나아가 이 옷을 사서 입는 사람들의 세계를

딱 맞네!

함께 만나는 거야.

응!

우아, 정말 굉장하지 않니?

사실 난 옷을 사고,

와, 이 티셔츠 멋지다!

책을 읽으며 공부를 하고,

텔레비전에서 드라마를 보는 나의 일상적인 행동에 대해서 고민해 보지 않았거든.

내가 살아가는 세계가 어떤 구조로 되어 있는지 관심도 없었어.

저런, 나쁜 놈!

그런데 하이데거의 말을 듣고 보니

세계가 현존재에게 열려 있단다.

음….

길거리에서

존재와 시간

학원에서

서점에서

옷, 떡볶이, 책, 텔레비전과 같은 존재자들과 더불어

나는 이 모든 존재자들을 만드는 사람들이나 사용하는 사람들,

즉 내가 아닌 타인들도 함께 만나고 있던 거야.

길거리에 있는 떡볶이 가게는 누군가가 운영하고 있고,

내가 읽고 있는 책도 누군가의 서점에서 샀거나 아니면

하이데거 책 주세요.

친구, 부모님과 같은 누군가에게서 선물 받은 것이지.

마틴, 생일 축하해.

고마워.

우리는 세계 속에서 타인들과 더불어 살고 있어.

여기에서 말하는 타인들은 나를 제외한 나머지 사람들을 의미하는 게 아니야.

타인들, 즉 다른 사람들 하면 우리는 대개 자신은 쏙 빼놓고 생각하고는 하지.

나 이외에 다른 사람을 말하는 거 아냐?

하지만 잘 생각해 보렴. 나 자신도 다른 사람들 입장에서 보자면 역시 타인 중 한 명인 셈이야.

음… 나도 타인이구나.

그래서 하이데거는 말했어.

타인은 자신을 특별하게 구별하지 않고 그 속에 같이 속해 있는 사람들을 가리킨다.

결국 서로가 타인들로서 거기에, 즉 세계 안에 함께 있는 거야. '함께 거기에 있음'이 바로 하이데거가 말하는 타인들의 존재 방식이지.

함께 거기에 있음!

그렇다면 타인들과 함께 있다는 것은 무슨 뜻일까?

다른 도구적 존재자랑 있는 것과는 다르겠지. 현존재이니까….

맞아. 망치나 옷과 같은 도구적 존재자들은 우리가 손 안에 쥐고 사용하는 것들이야.

그러나 타인들은 다르지. 못을 박기 위해 내 옆에 서 있는 사람을 망치 대신 사용하지는 않잖아?

으아, 난 망치가 아니야!

일상에서 우리가 타인들과 함께 있는 모습은 참 다양해. 예를 들어 술에 취한 취객이 지하철 선로에 떨어졌을 때,

!

우리는 자신이 다칠까 봐 그냥 모른 체하고 지나갈 수도 있고,

과감하게 뛰어내려서 그 취객을 구해 줄 수도 있어.

아저씨, 정신 차리세요.

반 친구가 수학 숙제를 못 해서 고민하고 있을 때

아, 이거 도대체 어떻게 푸는 거야?

친절하게 가르쳐 줄 수도 있고,

이 문제는 이렇게 풀면 돼!

아니면 그 친구의 성적이 오를까 봐 수학 숙제가 없다고 거짓말을 할 수도 있어.

아, 선생님이 오늘 숙제 안 해도 된다고 하셨어.

그래?

정말?

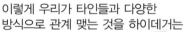

이렇게 우리가 타인들과 다양한 방식으로 관계 맺는 것을 하이데거는

'심려 (Fürsorge, 피어조르게)' 라고 해.

그런데 타인들과 함께 있으면서

….

우리는 자신이 그들과 다를까 봐 염려하지.

닌텐도 게임기가 없는데, 애들이 끼워 줄까?

그 드라마 안 보면 회사에서 대화에 낄 수 없을 텐데…

그래서 남들이 하듯이 극장에 가서 영화를 보고,

차를 사고,

이 차를 사려고 적금을 깼어.

부웅~

학원을 다니고,

하루 종일 공부만 하는구나.

인터넷을 해.

오늘은 무슨 일이 있나?

그리고 주말이면 다른 사람들처럼 차를 타고 교외로 여행을 떠나.

남자끼리 여행이나 가고….

어쩔 수 없지. 하하!

그래서 주말이나 휴가철이 되면 고속 도로는 늘 차들로 미어터지지.

….

만약 남들만큼 할 수 없는 처지라면 어떨까?

쳇, 입사 동기가 나보다 먼저 진급하다니….

사람들은 그들을 따라잡으려고 하거나,

나도 어서 실적을 올려 진급해야지.

또는 그들보다 앞서 나가려 온갖 노력을 다해.

오늘도 밤샘 근무하는 거야!

심지어 그들을 이기기 위해 정당하지 못한 방법을 사용하기도 하지.

후후후!

보고서가 어디 갔지?

한마디로 마음을 졸이는 거야. 다른 사람들과 다르다는 것이 불안하기 때문이지.

동기들은 다 진급했는데 왜 당신은 아직도 평사원 이에요?

그, 그게….

다르면 그들과 함께 어울리지 못 할까 봐 마음 졸이는 게 우리의 일상적인 모습이거든.

내가 못살아, 엉엉!

하아….

154 존재와 시간

그래서 우리는 일상생활에서 타인들과의 거리를 좁히기 위해 늘 기를 쓰며 살아가지.

나만 뒤떨어질 수는 없어. 혼자는 싫어!

타악

'난 다르고 싶지 않아! 다른 사람들 사이에 끼고 싶어!' 라고 생각하면서 말이야.

어제 드라마 정말 웃기더라!

이 사람들과 함께 있고 싶어.

하하하

그래서 사람들과 거리를 좁히면 좀 더 친밀감을 느낄 수 있을 거라고 생각해.

어제 드라마를 못 봤으니 다운 받아서 봐야겠다.

내일 드라마 이야기를 하면 좀 더 친해질 거야.

하지만 이 거리라는 것을 한 번 뒤집어 생각해 보자!

타인들과의 거리를 좁힌다는 것은 그들과 같은 방식으로 살겠다고 결정하는 것을 의미해.

선덕여왕

CSI 보고 싶은데….

CSI:

한마디로 '왕따' 당하는 것을 두려워하는 거야.

대화할 때 소외될 수는 없으니까….

자신의 결정에 따라 행동하는 것이 아니라 남들이 하니까 따라서 하는 것은

선덕여왕

타인의 지배를 받고 있다고 볼 수 있지.

하하하

난 재미 없는데….

이렇게 이야기하면 불평하는 친구들도 있을 거 같은데?

난 뭐든지 내 스스로 선택한다고! 지배 같은 거 안 받아.

그래, 그런 친구들도 있을 거야.

그런데 잘 생각해 봐.

우리는 이미 무엇을 하고 어떻게 살아야 하는지에 대한 기준과 생각이 자리 잡은 사회에서 태어났고, 그 속에서 살아가고 있어.

나라나, 시대마다 기준이 다를 뿐이야.

우리 때는 농사짓는 것이 가장 중요했지.

인도에서는 소고기를 먹지 않지만

우리나라에서는 먹지.

이야, 이 마블링 좀 봐!

즉 나라에 따라 음식을 선택할 수 있는 가능성이 다를 수 있어.

저 여기 소고기 좀….

야, 너 미쳤어? 여기는 인도라고!

?

휴대 전화가 없었던 조선 시대에는 휴대 전화를 선택할 가능성이 전혀 없었지만,

휴대 전화가 뭐시여?

휴대 전화가 생활의 필수품처럼 사용되고 있는 요즘은 선택의 가능성이 매우 높지.

물건을 고를 때는 어떨까?

그거야말로 타인과는 상관없지 않아?

사람들은 흔히 상품들을 살 때 신문이나 방송, 인터넷 등의 광고를 보고

새로 나온 책입니다.

오, 김영사에서 멋진 책이 나왔구나.

매장에서 상품을 찾아 선택하지.

이왕이면 광고에서 좋다고 한 것으로 사야지

내가 선택한 것이지만

이미 대중 매체의 영향을 받고 있는 셈이야.

이럴 수가… 물건을 고르는 것조차 내 뜻대로 하지 못했다니….

하하!

대학이나 직장, 결혼도 마찬가지야.

결혼도?

대학을 나와야 좀 더 나은 직장을 선택할 수 있고,

대학을 나와야 이 기업에 들어갈 수 있다는군.

높은 사회적인 지위를 가질 수 있는 가능성이 높아.

우리 회사 이사님은 모두 서울대학 출신이래!

그래?

그러다 보니 일단 대학부터 가야 하고,

좋은 회사 취직하려면 우선 대학부터 가야 해.

나는 운동이 더 좋은데….

그러기 위해 남들 다니는 학원이나 과외도 받으려고 애를 쓰는 거야.

운동은 나중에 하고 어서 학원 가.

다녀올게요.

또한 외모가 중시되기 때문에

우아, 예쁘다!

성형 수술이 유행하고 성형외과가 붐비지.

김태희처럼 만들어 주세요.

하하하.

이렇듯 많은 사람들이 사회에서 요구하는 대로, 남들의 눈을 의식하면서 살아가고 있어.

오늘 입은 옷이 잘 어울리나?

발이 아프지만 양복에 운동화를 신으면 안 돼.

이처럼 사람들이 존재하는 방식을 하이데거는 다음과 같이 표현했어.

현존재의 평균적 일상성.

일상생활에서 자기 자신으로 있지 못하고 스스로를 평준화*시켜 버리는 거야.

*평준화 – 수준이 서로 차이 나지 않게 함.

그래서 일상생활에서 거기에 있는 사람은 자기 자신이 아니라

바로 '그들'인 거지.

하이데거는 이렇게 이야기하고 있어.

그들은 이 사람도, 저 사람도 아니고, 사람들 자신도 아니며, 몇몇 사람들도 아니고, 모든 사람을 아우르는 말도 아니다. 그들은 불특정* 다수의 그들이다.

*불특정 – 특별히 정하지 않음.

우리는 일상에서 모든 판단과 결정을 이렇게 '그들'의 뜻에 따라 내리기 때문에,

이 멍청아! 심부름도 제대로 못 해?

너 좀 맞아야겠구나!

혼나 볼래?

미, 미안해!

혹시 일이 잘못되어도 그다지 큰 책임감을 느끼지 못 하지. 아니 느낄 필요가 없는 거야.

미안하면 맞아라!

존시 잘한다!

멋져!

얼마 전 한 여자 연예인이 인터넷 악성 댓글에 시달리다

못생긴 게 어디서 잘난 척이야? 나가 죽어! 너 같은 것도 연예인이라고? 웃겨!

자살한 일이 있었어.

악성 댓글을 달았던 사람들은 자신이 특별히 책임질 일은 없다고 생각했지.

뭐, 나 때문에 죽은 건 아니니까.

남들도 다 그렇게 댓글 달았던데 뭐.

'나 말고 다른 사람들도 다 그렇게 했으니까 내 잘못만은 아니야.'라고 생각해 버리는 거야.

오늘은 또 누구에게 댓글을 달까?

마찬가지로 교실에 쓰레기를 버리는 것도 대수롭지 않게 생각해.

다른 애들도 그러는데 뭐. 괜찮아.

골목에 불법으로 주차해 놓은 차 때문에

소방차가 들어가지 못해서

삐뽀~ 삐뽀~

불이 난 건물에 있던 사람들과 몇몇 소방관이 죽는 사건이 일어났을 때

많은 사람들이 남들처럼 따라서 분노했어.

어떻게 저럴 수 있지? 왜 불법 주차들을 하냐고!

뉴스

하지만 막상 자신에게 볼일이 생기면

음… 주차할 데가 없네.

'뭐, 주차할 수도 있지. 다른 사람들도 그렇게 하는데 뭐.' 하고는 주차를 할 거야.

이처럼 사람들은 '그들'과 똑같이 행동하면서 '그들' 속으로 쉽게 숨어 버리지.

여기저기에 있었던 '그들'은 결국 책임질 일이 생겼을 때는 아무도 모습을 드러내지 않아. 내가 그랬다고 나서지 않는 거지.

조용—

이 좁은 골목에 주차한 사람들이 누굽니까?

이런 현상에 대해 하이데거는 이렇게 말했어.

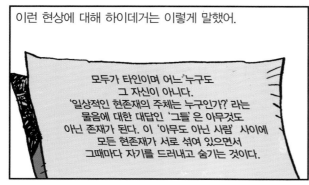

모두가 타인이며 어느 누구도
그 자신이 아니다.
'일상적인 현존재의 주체는 누구인가?' 라는
물음에 대한 대답인 '그들' 은 아무것도
아닌 존재가 된다. 이 '아무도 아닌 사람' 사이에
모든 현존재가 서로 섞여 있으면서
그때마다 자기를 드러내고 숨기는 것이다.

사람들과의 거리를 없애고 남들이 하듯 평균에
맞추어 살아가는 이런 삶은

'본래적인 자기' 의 삶이라고 할 수
없어.

이런 삶이
나의 삶인가?

자신이 뭘 하고 싶은지 모르고
또 알려고 하지도 않고

째깍 째깍 째깍

야호! 쉬는
시간이다.

딩동댕

그저 남들이 하니까 따라서 하는
것뿐이지.

아닌가?

'친구 따라 강남 간다.' 는 속담처럼
말이야.

….

'엄마, 친구들 다 플레이스테이션
게임기 갖고 있단 말이야.
그러니까 나도 사 줘.'

이렇게 조르는 아이는 '본래의 자기'
자신의 모습으로 존재하고
있는 게 아니야.

엄마, 친구들
다 있는데
나만 없단
말이야.

흥!

이 아이는 하이데거가
'그들 - 자기' 로 부르는
'비본래적인 자기' 에서 못 벗어난
거지.

으아아앙~

근데 '비본래적'
이라는 게
뭐야?

여기서 비본래적이라는 건 '모자라는' 존재나 '낮은 차원의' 존재 등급을 의미하는 것은 아니야.

히히!

저 아이는 동네 바보 꼬마? 쟤랑 나랑 같다는 것은 아니지?

단지 본래의 자기 자신을 잃어버린 상태일 뿐이지.

아, 그러고 보니 내가 가지고 싶은 것은 닌텐도였는데….

무언가를 잃어버리면 어떻게 해야 하지?

내가 아빠 시계를 어디다 뒀더라?

다시 찾아서 원래의 상태로 돌려놔야겠지?

얼른 찾아 놔야지!

삥욍

자, 지금 이 책을 읽고 있는 여러분 자신은 어떠니?

혹시 남들이 이 책을 골랐으니까 읽고 있니?

《존재와 시간》? 재미있겠다.

나도 볼까?

아니면 부모님이 보라고 해서?

이 책을 읽고 독후감 쓰면 500원 줄게.

네!

공부는 어떨까?

오늘 여기까지 진도를 나가야 하는데.

엄마가 시키니까 남들이 하듯 그렇게 하고 있는 것은 아니니?

좋은 직장 얻으려면 공부를 잘해야 된단다.

네….

'그들'이 만들어 놓은 세계에 빠져 허우적거리는 것은 아닌지,

철썩

사, 살려 줘….

한번 진지하게 생각하면서 다음 과제로 넘어가 볼까?

대중문화에서 보이는 일상성과 독재

독재라는 단어를 사전에서 찾아보면 특정한 개인, 단체, 계급, 당파 따위가 어떤 분야에서 모든 권력을 차지하여 모든 일을 독단으로 처리하는 것을 의미합니다. 한마디로 자기 마음대로 처리한다는 것이지요.

보통 독재라는 용어는 정치와 관련해서 사용하지만, 자의적으로 결정해 강요한다는 의미에서 보면 비단 정치의 영역에서만 이루어지는 것이 아닙니다. 사회, 문화, 예술, 경제 등의 면면을 잘 들여다보면 독재의 형태를 의외로 쉽게 발견할 수 있습니다.

예를 들어, 음악, 드라마, 패션, 인기 스타 등 유행하는 문화에 대해 모르면 학교에서, 회사에서 대화에 참여하기 난감할 때가 많습니다. 사회생활을 잘하기 위해서는 그런 유행에 민감해야만 할 필요가 생기지요. 그러다 보니 너도 나도 유행을 쫓아 물건을 사거나 관심을 갖게 됩니다. 비록 자신이 원하지 않더라도 말이지요. 그렇게 유행이 일어나면 대형 음악 기획사들은 현재 유행하는 패턴이나 장르의 곡들을 위주로 음

▲ 똑같은 디자인으로 만들어져 진열된 옷들

악을 만들어 냅니다. 의류 업체도 그렇습니다. 유명한 스타가 입었던 옷이 유행하면 그와 비슷한 디자인의 옷들이 대량 생산됩니다. 디자인의 옷은 좀처럼 구경하기가 힘들지요.

이처럼 모두가 똑같은 생각과 행동을 하도록 강요받는 것, 그리고 그런 문화에 동의하지 않을 수 없게 만드는 분위기에 휩쓸리는 것. 이런 현상들은 하이데거가 말하는 평균적인 일상성과 밀접한 관련이 있으며 대중문화 안에서 일어나는 독재라고 할 수 있습니다. 자신의 선택보다 타인의 방식을 쫓기 때문입니다. 타인의 눈을 의식하고 그들이 하는 방식을 흉내 내는 것이지요. 일상성의 독재에서 벗어나기 위해서는 다른 사람의 시선으로부터 벗어나 내 존재 자체에 집중하고 귀 기울여야 합니다. 획일화되고 대량 생산되어 보급되는 대중문화에 대해 비판적인 입장에 선 하이데거는 이런 말을 남겼습니다.

"일상성에서 벗어나 자신의 삶으로 들어가라."

제6장

'안에-있음(In-Sein)'이란?

자, 이제 '세계-내-존재(세계-안에-있음)'에서

세계-내-존재

'안에-있음'이 무엇인지 밝혀내는 마지막 과제에 도달했어.

드디어 마지막 과제구나!

혹시 여러분 '토끼와 거북'이라는 이솝 우화를 알고 있니?

당연히 알지!

토끼와 거북이 달리기 시합을 했는데,

준비!

자신이 거북보다 빠르다고 생각한 토끼가

이거 왜 이래? 실제로도 빨라!

탕

시합 도중, 그만 낮잠을 자는 바람에

흥, 안 깨울 거야!

ZZZ

거북에게 진다는 이야기잖아.

만세!

뭐?

응, 맞아!

역시 나는 천재야.

토끼를 자만심 가득하고 게으른 사람으로 비유하고,

거북을 성실한 사람으로 비유할 경우

웅-

이 우화는 꾸준히 노력하는 사람이 이긴다는 교훈을 준다고 해석할 수 있어.

열심히 일해서 공장장이 되었어.

난 놀다가 일터에서 쫓겨났어.

하지만 토끼를 여유를 가지고 살아가는 사람으로,

거북은 죽어라 일만 하는 사람에 비유한다면?

'빨리 한다고 다 좋은 것은 아냐. 건강을 해치면 어떻게 해. 느리더라도 즐기면서 살자.' 라고 해석할 수도 있겠지.

놀랍지 않니? 같은 이야기인데도 '무엇'을 어떻게 이해하느냐에 따라서 전혀 다른 해석이 나오니까 말이야.

우리가 이번 장에서 살펴볼 '안에-있음' 역시 마찬가지야.

세계를 어떻게 이해하느냐에 따라 해석이 전혀 달라지거든.

'안에-있음(In-Sein)' 이란?

165

데카르트처럼 세계를 모든 존재자들의 총합으로 본다면,

세계 안에 모든 존재자들이 있다.

'안에 – 있음'은 가방 안에 책이 들어 있는 것처럼, 또는

신발장 안에 신발이 들어 있는 것처럼,

어떤 공간 속에서의 위치 관계를 나타낼 뿐이야.

가방과 책, 신발장과 신발은 전혀 연관이 없어.

책은 책대로, 가방은 가방대로,

인간은 인간대로 서로 독립적으로 존재하지.

마치 인형의 집 안에 사물들이 놓여 있는 것처럼 말이야.

그러나 앞에서 살펴봤듯이, 하이데거가 풀이한 세계는 의미의 그물망으로 얽혀 있는 전체를 뜻해.

그러니까 인간이 세계 안에 있다는 것은 단순히 네비게이션이나

지도에 표시되어 있는 장소처럼 물리적인 지점에 있다는 뜻이 아니야.

단순한 '있음'이 아니지.

수많은 존재자들이 지시하는 연관 관계를 이해하고 사용할 수 있으며

그 안에서 또한 사람들과 함께 있다는 것이지.

얼마 전 러시아에서

야생에서 생활하던 한 소년의 이야기가 화제가 된 적이 있었어.

캬악!

다 다 다 다

숲에서 늑대와 함께 살던 이 소년은 경찰에게 발견되었는데,

넌 누구냐?

굉장히 힘이 셌고, 날카로운 이빨과

크릉!!

다듬어지지 않은 손톱, 발톱을 갖고 있었다고 해.

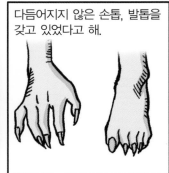

말을 배우지 않았으니 당연히 인간의 언어를 모르고,

컁!!

심지어 사람들을 물고 할퀴는 등 늑대처럼 행동했대.

크악!

세계를 존재자들의 총합으로 본다면, 이 늑대 소년은 다른 인간들과 마찬가지로 세계 안에 있다고 봐야겠지?

하지만 하이데거 입장에서 보면 이 소년은 세계 안에 있는 것이 아니야.

같은 세계에 있다고 할 수 없지.

혹시 여러분 아이스크림 좋아하니?

난 아이스크림을 굉장히 좋아해서 자주 사 먹거든.

뜬금없이 왜 아이스크림 이야기를 하냐고?

일단 들어 봐. 어제는 말이야, 지하철을 타고 오는데

에어컨이 고장 났는지 너무 더운 거야.

밖으로 나오자마자 아이스크림 가게를 찾았지만 보이지 않았지.

으아, 없구나!

할 수 없이 음료수나 마시려고 자판기에 500원짜리 동전을 넣었거든.

음료수라도 마셔야겠어!

그런데 자판기가 동전만 먹고 음료수를 주지 않는 거야.

….

"내 돈!" 하면서 울고 있는데,

으앙! 내 돈!

주인 아저씨가 와서 꺼내 주시더라고.

고맙습니다…. 훌쩍!

먼 거리를 빠른 시간 내에 가려면 지하철을 타야 한다는 것,
아이스크림을 먹고 싶으면 아이스크림 가게에 가야 한다는 것,
음료수를 먹고 싶으면 자판기에 동전을 넣어야 한다는 것, 모두 알지?

에이, 마틴. 너 진짜 웃긴다. 당연한 것을 뭘 물어?

그래, 당연하지.

우리는 이런 존재자들을 별 어려움 없이 사용하고 있으니까 말이야.

먹고 싶으면 돈을 주고 사 먹으면 되잖아.

그런데 이것은 우리가 목적에 따라 수많은 존재자들이 지시하는 연관 관계를

아, 목말라! 음료수를 마시려면 …

이해하고 사용할 수 있기 때문에 가능한 거야.

자판기에 동전을 넣고 마시고 싶은 음료수의 버튼을 누르면 되지!

덜컹

눌러!

만일 마실 것을 달라고 울부짖는 저 늑대 소년을

크르릉!

목마른 거 같은데….

자판기 앞으로 데려가서

이게 자판기 라는 거야.

크릉?

500원짜리 동전을 쥐어 준다면?

자, 500원!

?

소년은 동전을 깨물어 보거나

콱!

하하, 그건 먹는 것이 아니야.

던져 버리거나

휙

으악! 왜 던지는 거야?

아니면 입 안에 집어넣고 삼켜 버릴지도 몰라.

꿀꺽!

!

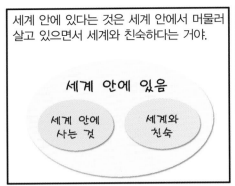
세계 안에 있다는 것은 세계 안에서 머물러 살고 있으면서 세계와 친숙하다는 거야.

세계 안에 있음

세계 안에 사는 것

세계와 친숙

차야, 형은 사무실에 있을 테니까 조금만 기다려.

그 안에서 만나는 사람들에게 마음을 쓰면서 살아가는 거지.

여기 커피 마시면서 일해.

고마워.

하이데거의 표현을 빌면, 세계가 우리를 향해 먼저 문을 열고 있기 때문에

저곳이 세계다!

그 안에서 도구를 만들거나 사용하고

우가차카!

타인들과 함께 있을 수 있는 거야.

하지만 늑대 소년에게 세계는 닫혀 있어.

?

소년은 늑대들과 생활하면서 나름대로 자기 주변의 자연을 삶의 공간으로 만들었겠지만,

하이데거의 입장에서 그것은 아직 세계가 아니야. 불행하게도 소년에게는 세계가 없는 거지.

사람들은 소년을 병원에 데려가서 치료하려고 했어.

하지만 그는 얼마 뒤, 병원에서 탈출해 달아났대.

난 늑대 소년의 이야기를 듣고 아주 슬펐어.

아… 정말 슬픈 이야기야.

소년은 자기가 원해서 이 세상에 태어난 것도 아니고,

응애!

늑대들이 있는 숲에 버려진 것도 아니니까 말이야.

응애.

어느 누구도 자기가 살아갈 세계를 정해서 태어나는 사람은 없어.

음, 난 미국에서 태어날까 해.

난 유럽 쪽이 괜찮을 거 같아.

'난 부잣집에서 태어날 거야, 한국인으로 태어날 거야.' 하고 미리 정한 다음에 세상으로 나오지 않으니까.

난 어떤 집에서 태어날까?

태어날 때 이미 우리 의지와는 전혀 다른 세계에 내던져진 거지.

응애!

여기서 내던져졌다는 것은 마치 물건을 팽개치듯이 버려졌다는 것이 아니야.

선택의 여지가 없이 어떤 상황에 던져졌다는 의미지.

여기는 어디지?

자신의 의지와 상관없이 세상에 존재하게 되고,

자신의 존재를 떠맡아야 하는 거야.

크릉!

우리는 이 사실을 무척 잘 알고 있어. 하지만 이것은 이성적인 판단이나 분석을 통해서가 아니라 기분을 통해서 깨닫게 되지.

그게 무슨 말이야? 기분을 통해 깨닫는다고?

응, 잘 들어 봐!

어제 난 성적표를 받았어.

마틴!

네!

희망에 부풀어 있던 나는

성적표

성적표를 보고 갑자기 우울했지. 짜증도 나고 말이야.

이게 뭐야?

성적표

뭐, 가끔씩 친구들과 게임을 하기도 했지만,

정말이지 난 열심히 공부했거든.

그런데 성적표가 '양' 떼로 가득한 거야.

양, 양, 양, 양, 미…?

성적표

성적표를 부모님께 보여 드리자니 걱정이 되고 혼날까 봐 두려워졌지.

이것도 성적표 라고 가져왔냐?

잘못했 어요! 엉엉!

늘 학교 수업이 끝나면 학원으로 가야 했어. 수행 평가에, 학원 숙제에, 시험 준비에 너무 바빠서 그동안 난 나의 존재를 잊고 있었지.

그런데 성적표를 받아 든 순간 나를 덮친 우울함, 짜증, 두려움과 같은 기분은

부들

부들

성적표

나에게 이런 의문들이 들게 했어.

왜 공부를 해야 하는 거지? 좋은 성적을 받으면 뭐해? 내가 왜 이렇게 살아야 하는데?

도, 도망치고 싶어.

존재와 시간

하지만 내가 이 세상에 던져졌고, 여기서 절대로 도망가지 못한다는 사실을 깨달았지.

사는 것이 힘들고 버거워도 어쨌든 살아가야 하는 거야.

너 공부 안 하고 매일 논 거야? 엄마가 아주 못 살겠다.

성적표

이 무게를 감당하지 못하는 사람들은 때로 자살이라는 극단적인 선택을 하기도 하지만

행복은 성적순이야!

으아

어쨌든 우리는 자신이 존재하고 있고 존재해야만 한다는 사실을

으악!

벌떡

이렇게 기분을 통해 발견하게 돼.

헉헉, 살아 있구나. 여전히 나는 존재하고 있어!

우리는 늘 어떤 기분에 사로잡혀 있어.

오늘 따라 기분이 되게 좋네. 신난다.

그래? 난 우울한데.

무슨 일을 하려다가 갑자기 기분이 상했다면?

!

뚝

아마도 우리는 그 일을 중간에 그만두거나 아무렇게나 처리할 거야.

에이, 안 해!

이런 태도는 다른 사람을 대할 때도 마찬가지지.

뭘 봐!

왜 나한테 화풀이야!

수업 시간에 조별 활동을 하는데

조별 활동

자, 오늘 우리 조는….

친구들이 놀거나 딴 짓을 하면

….

굉장히 짜증이 날 거야.

에이, 될 대로 되라지, 나도 안 해.

연필과 책을 던져 버리고 같이 놀거나

나도 끼자!

아무것도 안 할 수도 있어.

….

기분을 잡쳐 버린 상태에서 책과 연필은 더 이상 나와 함께하는 도구가 아니고,

친구들도 그 순간 원수처럼 변해 버리지.

원수는 외나무 다리에서 만난다더니!

이렇게 잡친 기분은 순식간에 세계와 그 안에 함께 있는 타인들,

낄낄낄! 하하하!

흥! 저것들. 뭐가 재미있다고 낄낄거리지?

그리고 자기 자신의 존재를 바꾸어 버리는 거야.

아, 무기력하다. 에휴….

한마디로 우리가 어떤 기분에 처해 있는지에 따라서

만약 친구들이 잘 도와줬다면 존시는 조별 활동을 열심히 했을 거야.

우리가 세계 안에 존재하는 방식이 달라지지.

그런데 인간은 단순하게 내던져진 존재만은 아니야.

전쟁으로 아무것도 남지 않았어.

내 의지대로 세상에 태어난 것은 아니지만 주어진 상황 안에서 열심히 살아가는 존재이기도 해.

하지만 여기서 무너질 수는 없어!

미래에 대한 꿈을 꾸면서 말이야.

다시 살 만해질 거야.

꿈을 꾼다는 것은

세계 여기저기를 여행하며 살고 싶어.

우리가 주어진 세계 안에서 얼마든지 다른 가능성들을 발견하고

외국어를 열심히 배워서 여행사를 차려야겠어.

실현해 나갈 수 있다는 것을 의미해.

어디 가?

영어 학원.

너 영어 싫어 했잖아?

위인이라는 불리는 사람들은

노벨 평화상, 김대중!

특별히 혜택 받은 환경에서 태어났기 때문에 위대해진 것이 아니야.

나는 가난한 농부의 아들로 태어났어.

자신이 내던져진 세계에 주저앉지 않고

누명을 쓰고 감옥에 왔지만 절망하지 않고 열심히 책을 읽을 테다.

이전과는 완전히 다른 새로운 가능성을 일구었기 때문에 위대한 거야.

15대 대통령 김대중!

와아~

헬렌 켈러*도 바로 그런 사람이지.

헬렌 켈러는 태어난 지 19개월만에 큰 병을 앓고

응애!

*헬렌 켈러(1880~1968) - 시각과 청각 장애가 있는 미국의 작가 겸 교육가.

듣지도, 말하지도, 심지어 보지도 못하는 장애를 갖게 되었어.

어버버.

그녀에게 주어진 상황은 너무나 가혹했지만,

우당탕

좌절하지 않고 말과 글을 배웠단다.

헬렌, 넌 할 수 있어.

결국 독일어를 비롯해 5개 언어를 구사할 수 있었고,

우아! 들리지도 않는데 그게 가능해?

그러니까 대단하다는 거지.

청각 장애인으로는 미국 역사상 최초로 학사 학위를 취득했지.

수고했네!

감사합니다.

이후 그녀는 장애인, 여성, 흑인 등을 차별하는

미국 사회의 문화를 바꾸기 위해 열심히 노력했어.

인간은 가능성이 많은 존재야. 무엇이든 할 수 있고 자신이 원하는 모습이 될 수 있지.

만일 인간의 본질이 이미 결정되어 있는 것이었다면 아마도 헬렌 켈러는

눈멀고 귀먹고 말 못하는 상태로 평생 부모님의 보호를 받으며 하루하루를 보내야 했을지도 몰라.

사는 것이 고통이네요.

그러나 그녀는 스스로 자신의 새로운 가능성을 기획*하고

비록 안 들리지만 열심히 노력하면 말을 할 수 있어.

그것에 따라서 살았던 거야.

이것을 '기획 투사**' 라고 해.

하이데거의 말을 빌리면 헬렌 켈러는 자신의 존재 가능성을 이해한 거야.

몸이 불편하지만 할 수 있는 일이 분명 있어!

그래 할 수 있어!

*기획 – 일을 꾀하여 계획함.

**투사 – 창이나 포탄 등을 내던지거나 쏨.

  존재와 시간

그녀는 자신이 존재하고 있는 세계를 새롭게 열어 자신의 세계를 밝힐 가능성을 놓치지 않았지.

결코 포기하지 않아.

세계

쾅

때문에 그녀는 '그들 자신'이 아니라 '자기 자신'으로 실존한 거야.

누구나 헬렌 켈러처럼 참된 본래적인 삶을 살 수 있어.

나도 가능하다고?

그럼!

만일 자신의 가능성을 사람들(그들) 속에서 찾지 않는다면 말이야.

저 사람들 속에서 나의 가능성을 찾지 말라고?

응!

그런데 그것이 참 어려운 일이지.

왜냐하면 우리는 '일상적이고 평균적으로 해석되는 세계' 속에서 태어나고 그 속에서 살아가기 때문이야.

네, 어머니.

모난 돌이 정 맞는 거야. 튀지 말고 조용히 살아라.

한마디로 남들의 시선을 의식하고 그들이 살아가는 방식에 의해 영향 받는 거지.

튀지 말고 남들처럼 조용히 살자.

우리는 남들의 말을 듣고

어제 개그 프로그램 진짜 웃기더라.

으, 응. 웃기더라.

그 말들을 다른 사람에게 퍼뜨리기도 해.

얘들아, 어제 그 개그 프로그램 봤어?

인터넷에 뜬 그 기사 읽었어? 글쎄 말이야….

어, 나도 봤어.

자신이 듣고 읽은 말들이 진짜인지 아닌지 가려내지 못하면서

어제 우리 동네에서 지진 났었던 거 알아?

그래?

이해하고 있는 것처럼 수다를 떠는 거야.

진도가 6이었대!

정말?

?

사람들이 맞장구를 치면 혼자가 아니라는 사실을 확인하고 안도감을 느끼지.

….

어쩐지 땅이 흔들리는 것 같더라.

그렇지? 사실 나도 느꼈어.

야, 말도 안 돼. 진도 6이면 건물이 무너질 정도인데 난 아무것도 못 느꼈다고.

게다가 권위 있는 사람들의 이름이나 말을 빌리면

인터넷 기사에 그렇게 나왔는데?

설마…?

문제가 일어났을 경우 크게 책임질 필요도 없어.

….

그래? 그럼 애 말이 맞겠네.

아이고, 지진이 시작된 곳이 진도 6이 었다는 이야기 겠지.

하이데거는 이렇게 그들이 일상적으로 쓸데없이 떠드는 말을

야, 마틴 뭘 그렇게 따져?

그래, 애가 뭐 잘못한 것은 아니잖아.

이렇게 표현했지.

잡담!

뜨끔

우리는 이 잡담에 의해 해석된 세계로부터 지배를 받고 있는 거야.

잡담

상식이 라는 것도 마찬 가지지.

존재와 시간

사람들은 상식이 많을수록 좋다고 생각해.

미국의 수도는?

상식이 없는 사람은 무식하다고 무시받지만

정답, 뉴욕!

땡!

하하하, 뉴욕이래!

상식이 풍부한 사람은 교양인으로 대접받거든.

정답, 워싱턴!

딩동댕

'메뚜기를 세 부분으로 나누면?' 이라는 질문을 받았을 때, '머리, 가슴, 배' 라고 답하는 것은 당연한 거야.

정답! 머리, 가슴, 배입니다.

머리

가슴

배

와아

만일

정답, 죽는다?

이렇게 답한다면? 사람들은 어이없어서 웃겠지!

푸하하하하!

죽지, 아무렴 죽고말고!

그래서 우리는 상식이라 부르는 지식에 대해 큰 의문을 품지 않아.

당연하다고 여기니까!

하지만 곰곰이 생각해 보면 컴퓨터, 경제, 정치, 음식, 문화 등 다양한 분야에 관한 상식이라는 것은

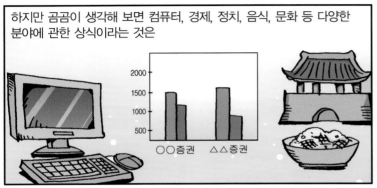

2000
1500
1000
500
○○증권 △△증권

다른 사람들의 말을 통해서 들었거나

여기 투자하면 대박이야, 대박!

그, 그래?

누군가 적어 놓은 글을 통해서 알게 된 거야.

대박은 무슨, 주가가 떨어졌잖아. 망했다.

때문에 우리는 사람들이 알고 있는 것이 스스로 이해한 것인지 아닌지 파악하기가 힘들어.

한마디로 애매한 거야.

그런데도 사람들은 남들의 말이나 시선을 의식해서 애매하게 말하고는 해.

어제 산 주식이 오를 거야.

정말?

남들의 말이나 의견을 마치 자기 생각인 양 말하는 거야.

신문에서 읽었는데 그 회사가 합병을 한다니까 당연히 주식도 오르겠지.

오오!

그렇게 애매하게 이야기하면 만일 틀리거나 실패했을 경우에

주식

!

뜨끔

으악, 주가 폭락이야!

빠져나갈 구멍이 생기거든.

저기, 그건 내 말이 아니라, 신문에서 읽은 거라니까.

아, 그러셔?

또한 잡담과 애매함은 호기심을 일으켜.

뭔데? 나도, 나도.

"올해는 이런 스타일의 옷이 유행한대."

어때, 괜찮아 보이지?

음… 정말 유행한다 이거지?

"저기 있는 고깃집 있지? 거기가 맛있다고 하네?"

그럼, 저기가 보자!

그래!

고기집 한우

"의학 박사가 나와서 이야기하는데 토마토가 항암 효과가 있대…."

항암 효과에는 토마토가 최고예요!

이런 사람들의 말을 듣고 유행하는 옷을 사고,

정말 유행해야 할 텐데…

토마토를 사서 먹는 거야.

굵고 길게 살아야지.

호기심이 많은 사람일수록 잘 휩쓸려. 그렇지만 과연 그중에 하나라도 제대로 이해했을까?

사실 잘 모르겠어.

우리는 이렇게 일상적으로 잡담과 호기심, 애매함이 지배하는 세계 속에 살고 있어.

잡담

호기심

애매함

그래서 '그들'이 이해하고 해석한 대로, '그들'을 쫓아서 '그들'이 사는 방식대로 살아가는 거야.

좋은 대학을 가면 좋은 곳에 취직할 수 있으니까 열심히 공부해야지!

남들이 좋다고 하는 직업을 선택하고, 취미를 갖고, 대학을 가고.

드디어 대학 입학이다!

대학

남들과 다르지 않다는 것에서 안정감을 느끼면서, 정작 우리 자신을 잃어버렸다는 사실은 모르지.

오늘 우리 대학에 입학하신 여러분을 환영합니다.

오히려 자기 스스로 모든 것을 이해하고 결정했다고 착각하고 있어.

역시 이 학교를 선택한 내 결정은 탁월했어.

하지만 우리는 이런 착각 속에서 빠져나올 때만 그들의 세계에서 벗어나 우리 자신의 세계를 향해 나아갈 수 있단다.

저곳이 내 자신의 세계구나!

그들의 세계

자신의 세계

그런데 어떻게 이런 착각에서 벗어나 우리 자신의 세계를 향해 나아갈 수 있을까?

다음 장부터 그 방법에 대해서 하나하나 살펴볼 거야. 그럼, 헬렌 켈러의 격언을 음미하면서 잠시 쉬었다 갈까?

세상이 비록 고통으로 가득하다 할지라도, 우리에게는 그것을 극복하는 힘 또한 가득합니다. 우리가 최선을 다할 때, 우리의 삶에, 아니 타인의 삶에 어떤 기적이 일어날지는 아무도 모르는 일입니다.

-헬렌 켈러

애매함과 모호함

애매모호하다는 말은 우리가 일상생활에서 많이 사용하는 표현입니다. "그 영화 재미있었어?", "글쎄. 재미있는 것 같기도 하고 아닌 것 같기도 하고. 좀 애매모호해." 딱히 꼬집어 말하기 어려운 상황에서 사람들은 이 말을 사용합니다.

애매모호는 말이나 태도 따위가 희미하고 흐려 분명하지 않음을 의미하는데, 이 단어는 애매함과 모호함이 합쳐진 것입니다. 우리는 대개 애매함과 모호함을 구별하지 않고 뭉뚱그려 사용하는 버릇이 있습니다. 물론 애매함과 모호함을 구분하지 않는다고 해서 일상생활을 하는데 불편함을 느끼는 것은 아닙니다.

그러나 철학의 경우에는 이 둘을 구분하지 않는 것이 문제가 됩니다. 명제를 분명하게 해야 대상을 올바르게 인식하고 사유할 수 있기 때문입니다. 애매함과 모호함에는 어떤 차이가 있는지 살펴볼까요?

애매함

말이나 개념의 의미가 분명한 것을 명석이라고 합니다. 애매함은 명석함의 반대말로서 의미가 분명하지 않음을 의미합니다. 말의 의미가 여러 가지여서 다양하게 해석될 수 있기 때문에 발생하는 것입니다. 예를 들어 볼까요?

명수는 재석이가 갖고 온 사탕 봉지에서 눈을 뗄 수가 없었습니다. 명수는 재석이에게 사탕을 달라고 했습니다. 재석이는 한 손 가득 사탕을 집어서 주었습니다. 이때 옆에 있던 홍철이가 말했습니다. "재석아, 넌 손이 크구나!"

홍철이의 '손이 크다.' 라는 말은 재석이의 신체 일부인 손이 크다는 의미일 수도 있고, 재석이의 마음 씀씀이가 넉넉하다는 의미일 수도 있습니다. 또한 마음 씀씀이와 관련해서 '손이 크다.'고 할 때 이는 친구에게 사탕을 나누어 줄 정도로 착하다는 칭찬일 수도 있고 헤프게 낭비한다는 의미에서 비꼬는 것일 수도 있습니다.

자신의 진심을 표현하고 싶지 않거나 자기가 한 말에 대해 책임지고 싶지 않을 때 등등 우리는 일부러 애매한 말을 사용하는 경우가 많습니다. 그러나 이런 말들은 하이데거가 이야기했듯이, 타인들과의 진실한 관계 맺음을 방해하는 것입니다.

모호함

말이 적용되는 대상과 그렇지 않은 대상이 칼같이 구별되는 것을 판명하다고 이야기합니다. 모호함은 판명함의 반대말로서 애매함과 달리 말의 의미는 분명하지만 그 말이 적용되는 범위가 불분명함을 의미합니다.

우리나라의 요리와 관련된 상황에는 이런 모호함이 잘 나타나 있습니다. 음식을 만들 때 서양 사람들은 대개 계량스푼이나 저울을 이용해 정확하게 양을 측정해서 사용합니다. 재료가 몇 그램이 필요한지, 조미료를 몇 스푼을 넣어야 하는지 수치화되어 있어 누구에게 요리를 배워도 일정한 맛을 내는 음식을 만들 수 있습니다.

그러나 우리나라 사람들은 모호하게 답하는 경우가 많습니다. "소금을 적당히 뿌려 절이세요.", "오이가 충분히 담길 정도로 물을 넣으세요." 여기에서 '적당히'나 '충분히'라는 말은 하나의 의미를 갖고 있지만, 도대체 얼마만큼이 '적당히'이고 '충분히'인지를 가늠하기 어렵습니다.

모호한 말은 기준이 분명하지 않기 때문에 각자가 생각하는 기준에 따라 저마다 다른 판단을 내리거나 그른 판단을 내리게 만들 위험이 있습니다.

제7장 염려로서 존재하는 인간

옛날에 작은 줄무늬 애벌레 한 마리가 알을 깨고 세상으로 나왔어.

세상아, 안녕?

주변에 보이는 나뭇잎을 갉아 먹으며 무럭무럭 자랐지.

냠냠냠냠냠….

그러던 어느 날 그는

아, 지루해. 매일 먹고 자기만 하는 거 재미없어. 이런 것이 삶의 전부일까?

뭔가 답답하고 의문이 생긴 줄무늬 애벌레는 자신에게 시원한 그늘과 먹을 것을 제공해 주던 다정한 나무에서 기어 내려왔어.

영차, 영차!

땅으로 내려온 줄무늬 애벌레는 새로운 세상에 잠시 흥분했지만,

오오, 새로운 세상이야!

자기가 그랬던 것처럼 먹는 일에만 열중하는 다른 애벌레들을 보면서 한숨을 쉬었지.

나무나 여기나 다를 것이 없네.

그러다 기를 쓰고 어디로 향해 가는 다른 애벌레들을 발견했어.

어라? 뭐지? 따라가 보자.

애벌레들 틈에 끼어 기어가던 그는 다른 애벌레들이 어떤 큰 기둥의 꼭대기로 올라가기 위해 기를 쓰고 있는 것을 보았지.

내가 찾고 있는 것을 발견할 수 있을지도 몰라.

줄무늬 애벌레는 설레는 마음으로 동료에게 물었어.

왜 다들 기를 쓰고 오르는 거야? 꼭대기에 뭐가 있는데?

응?

몰라. 하지만 모두 저렇게 애쓰는 것을 보면 굉장히 좋은 게 있을 거야.

오오, 그래?

그 말을 들은 줄무늬 애벌레는 기둥에 올라가 보기로 결정했지.

안녕. 시간이 없어! 나 먼저 갈게.

가, 같이 가!

그러나 곧 그는 다른 애벌레들에게 밀리고 채이고 밟혔어.

아야!

거기에 친구는 없었지. 기둥을 오를 때도 그냥 그들을 밟고 올라가야 하는 거였지.

힝! 도대체 어디로 가는 거지?

그렇게 올라가던 중 줄무늬 애벌레는 노랑 애벌레를 만났어.

나도 꼭대기에 뭐가 있는지 모르겠어. 하지만 그건 별로 중요하지 않아.

하, 하지만.

어디로 가는지 아무도 걱정하지 않는 것을 보면 틀림없이 좋은 곳일 거야.

….

갑자기 웬 애벌레 이야기냐고 궁금해 하는 친구들이 있을 것 같은데?

내 이야기는 갑자기 왜 하는 거야?

우리가 지금 보고 있는 《존재와 시간》은 무척 어려워서 골치가 좀 아프거든.

생각만 해도 다시 골치가….

지끈

지끈

존재와 시간

그래서 잠시 머리 좀 식히려고 《꽃들에게 희망을》이라는 책을 읽었는데,

줄무늬 애벌레의 이야기를 읽다 보니까 지금까지 우리가 달려왔던 《존재와 시간》으로의 여행 과정이 보이는 거야.

이깟 애벌레랑 우리를 비교한다고?

!

그리고 어디에서 하이데거의 생각이 보인다는 거야?

좋아. 의문을 갖고 물음을 던지는 것은 언제든 환영이야.

줄무늬 애벌레는 하이데거가 말한 일상적인 사람들의 방식을 좇지 않았으니까.

야, 부엉이 주제에 아까 날 무시했지?

뭐야, 이 먹잇감은?

'그들'이 말하는 대로, '그들'이 생각하는 대로 따라하는 것을 거부하고 있거든.

내가 원래 누구를 따라하는 걸 싫어해.

!

아까는 유행하는 옷 입고 설치시더니….

뭐라?

어휴, 어쨌든 이 동화에 나오는 애벌레의 이야기에 인간의 상황을 대입시켜 보자고.

줄무늬 애벌레가 알에서 깨어 나와 세상과 마주한 것은 자신의 의지로 그렇게 된 것이 아니야.

'아! 이쯤에서 알을 깨고 나와야겠군.', '아니야, 난 알 속이 더 편해. 나가지 않을 거야.'라고 결정할 수 없는 것처럼 우리 인간이 세상과 마주하는 상황도 마찬가지지.

응애, 응애!

어떤 특별한 이유나 의미 없이, 내 선택과 상관없이, 그저 세계로 내던져진 거야.

응애!

하이데거의 표현대로 하면

현존재의 현(Da), 즉 '거기'에 자기의 뜻과 상관없이 그저 내던져진 거지.

이렇게 세계 안에 내던져진 상태에서 우리의 삶은 시작돼.

까꿍!

꺄아아아~

186 존재와 시간

게다가 그 시작은 아주 약하고 미성숙*하지.

당장 결정된 것은 아무것도 없으니까 말이야.

살기 위해서 일단 우리가 처한 환경, 즉 세계에 자신의 존재를 맡겨야 해.

줄무늬 애벌레가 그랬던 것처럼 말이야.

분유를 먹고, 기저귀를 차고, 때로는 유모차에 앉아 세상을 구경하기도 하지.

우리 자신과 세계와의 관계는 이렇게 맺어지는 거야.

크면서 우리는 말과 글을 배우고,

엄마 해 봐!

맘마.

주변에 있는 존재자들을 목적에 맞게 만들거나 사용하는 방법을 하나하나 익히면서,

존재자들을 배려하고 세계에 친숙해져.

엄마 이거요.

아이구, 내 새끼.

그리고 세계 안에서 사람들을 만나고 헤어지기도 하고,

때로는 다투기도 하면서, 세상 사람들이 사는 방식을 배워가고 있어.

야, 반칙 이야.

뭐가 반칙이 야?

이렇게 사람들이 사는 방식을 배우는 것은 참 중요해.

미안!

아냐, 내가 더 미안.

내가 더 더 미안.

아냐, 내가 더 더더 미안.

그래, 어쩔래?

야, 그게 사과하는 태도야?

아웅 다웅

그렇지 않으면 앞에서 이야기했던 늑대 소년처럼 세계가 없는 인간이 되어 버릴 수도 있으니까.

그러나 여기에는 또 하나의 위험한 함정이 있어.

세계 안에서 사람들의 방식을 따르면 늑대 소년처럼은 되지 않을 수 있지만,

한편으로는 줄무늬 애벌레가 땅으로 내려와 만난 다른 애벌레들처럼 살아갈 수도 있거든.

어이, 안녕?

안녕!

줄무늬 애벌레가 보기에 다른 애벌레들은 먹고 자는 일상적인 생활을 아무 고민 없이 받아들이며 살아가고 있었어.

이게 아닌데….

어디로인가 향하는 한 무리의 애벌레들도 그랬지.

이 친구들은 뭔가 다를까?

먹고 사는 일에 치중하느라 정작 자기 자신의 존재에 대해서 고민하지 않고 살아가는 다른 애벌레들의 모습은 우리의 일상과 다르지 않지.

남들처럼 좋은 브랜드의 옷을 입고, 대학을 나오고, 차를 사고,

흠흠. ♪

그들 역시 자신이 어디로 향하는지에 대해 고민하지 않았어. 그냥 다른 애벌레들이 가니까 따라가는 거야.

이봐, 어디 가?

몰라, 그냥 가는 건데!

비싼 아파트를 사고, 결혼식 예물을 주고받고, 그들과 잡담을 하고,

마틴, 이렇게 사는 게 나쁘다는 거야? 남들이 사는 것처럼 살아가기로 결정한 것 역시 내 선택이야.

누가 그렇게 살라고 강요한 것도 아니고 내가 결정한 거라고. 너무 몰아붙이는 거 아냐?

이렇게 항변하는 친구들도 있겠지. 과연 그런지 차근차근 살펴보자.

존시 진정해.

아, 내가 좀 흥분했군.

우리는 살아가면서 끊임없이 크고 작은 많은 문제들에 부닥쳐.

내일 뭘 입을까? 뭘 먹어야 하지? 숙제 할 때 연필로 써야 하나 볼펜으로 써야 하나?

인터넷에 이 동영상을 올릴까 말까?

앞으로 무슨 일을 하면서 살아야 하나?

친구와 싸웠는데 어떻게 화해하지?

이 문제들을 어떻게 풀어야 할지에 대해서는 결정된 것이 없어.

그래?

그렇기 때문에 살다가 문제들을 만나면

흠… 어렵군!

START
숙제
생각
입시
가정
취업
Finish

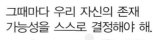

그때마다 우리 자신의 존재 가능성을 스스로 결정해야 해.

2칸 전진할 거야!

휘익

사실 우리가 세계 내부적 존재자들을 '배려' 하고 타인들을 '심려' 하는 것은

여기 앉으세요.

고마워요.

결국 우리가 우리 자신의 존재 가능성을 염려하기 때문이야.

그게 무슨 말이야?

쉽게 말해, 옷을 고르고, 연필을 사용하고, 인터넷에 올릴 동영상을 만들고, 직업을 선택하고, 친구와의 관계에 마음을 쓰는 것은 결국

음, 이 옷이 유행에 맞겠어.

자신의 존재 자체에 마음을 쓰기 때문이라는 거지.

이 옷을 입으면 유행에 민감하다고 칭찬할 걸.

나의 의지와 상관없이 세계에 내던져졌지만, 어떻게 살아야 할지 자신의 존재를 끊임없이 결정해 나가야 하는 거야.

하지만 이게 더 나을지도.

사람들이 싫어하면 어떡해?

아냐, 이게 나을까?

그래, 이것으로 하자.

아냐, 잠시만….

그래서 하이데거는 인간의 존재는 '염려'라고 이야기해.

인간은 염려 덩어리!

타인들과 다른 존재자들, 그리고 자신에 대해서 마음을 쓰는 것은 인간의 운명이라는 거야.

신경을 안 쓰려 해도 어쩔 수 없다고.

인간의 운명인가.

그는 이런 사실을 고대 그리스의 신화를 통해서 확인해 주었어.

그 이야기를 잠깐 소개할게.

고대 그리스에 쿠라라는 염려의 신이 있었어. 어느 날 그는 강을 건너다가 점토를 발견했단다.

응?

점토를 보면서 잠시 생각에 잠겨 있던 그는 한 덩어리를 떼어 내 빚기 시작했지.

♪

자신이 빚은 것을 바라보며 곰곰이 생각하고 있는데, 그때 주피터라는 신이 다가왔어.

흠.

뭐해?

아, 주피터! 내가 빚은 이 점토 덩어리에 혼을 불어넣어 주지 않겠나?

좋아, 혼을 넣어 줄게!

그런데 쿠라가 그 형상에 자기 이름을 붙이려고 하자,

네 이름은 이제 '쿠라'란다.

말도 안 돼.

주피터가 말했어.

내가 혼을 넣었으니 당연히 내 이름을 붙여야지!

무슨 소리야?

190 존재와 시간

누구의 이름을 붙일 것인지 때문에 쿠라와 주피터가 다투고 있을 때

당연히 내 이름을 넣어야 된다는 소리야.

말도 안 되는 소리 하지 마.

대지의 신 텔루스도 나섰어.

이봐, 그 형상은 내 몸의 일부로 만들어졌어. 그러니 내 이름을 붙여야 해!

뭐?

한참을 다투다 결론이 나지 않자 신들은 사투르누스라는 시간의 신을 재판관으로 모셨어.

흠….

세 신이 서로 자기 이름을 붙여야 한다고 주장하자 시간의 신은 난감했지.

흠… 난감하네.

제가 만들었습니다. 당연히 제 이름으로….

혼을 누가 넣었습니까?

재료를 생각해 봐야 할 거 아냐.

그래서 그는 모두가 불만이 없게 그럴듯한 결정을 내려 주었어.

주피터, 너는 혼을 줬으니까 그가 죽을 때 혼을 받고.

텔루스는 육체를 선물했으니 육체를 가져가라.

네!

하지만 쿠라는 이것을 처음으로 만들었으니까 이것이 살아 있는 동안 네 것으로 삼아라.

네!

그러나 이름은… 그래, 이것이 후무스(흙)로 만들어졌으니까 호모, 즉 인간이라고 부르는 게 좋겠어.

재미있지 않니? 신화 속에 나오는 신들이 싸우는 모습 말이야.

응. 마치 '내가 더 잘났어.' 하고 다투는 것 같아.

이 신화에 따르면 인간은 쿠라라는 염려의 신이 만들었어.

인간아, 넌 내가 만들었단다.

네!

그래서 인간은 실존하는 동안 철저히 염려에게 지배받을 수밖에 없는 운명이라는 거지.

염려의 신이 만들었으니까? 하하, 재밌네.

인간이 세계 안에 존재한다는 것은 결국 염려로서 존재한다는 거야.

그런데 여기서 잠깐 짚고 넘어가야 할 게 있어.

신화 속에서 인간을 만든 쿠라마저도 복종하는 게 바로 시간의 신인 사투르누스야.

엣헴!

인간의 존재를 결정하는 것이 바로 시간이라는 의미지.

하이데거는 이 신화에서 인간의 존재가 시간과 관계가 있다는 것을 암시한 셈이야.

이건 나중에 자세하게 이야기할게.

자, 어쨌든 인간은 자기 자신이 어떻게 존재할지 염려하기 때문에

나는 어떻게 존재해야 할까?

세계 속에서 만나는 도구들과 자기 이외의 사람들에게 마음을 쏟는 거야.

도와줘서 고맙네만 자네는 옷 안 입나?

헉!

그러나 일상적인 삶을 살아가는 사람들은 대개 세상 사람들이 요구하는 기준이나 그들의 말에 따라서 자신의 존재 가능성을 결정해.

운동화는 역시 나의키, 지금 바로 전화 주세요.

저 운동화를 사야겠어!

높은 지위와 명예, 인기, 브랜드 제품, 좋은 학벌, 좋은 직장 등을 추구하면서 말이지.

남들처럼 좋은 직장에 다니려면 열심히 공부해야지!

하이데거의 표현을 빌면,

공공적인 해석의 세계에 몰입*해서 사는 거야.

그뿐인가? 자신의 존재 가능성을 염려하기 때문에 어떤 목적을 갖고 도구들을 사용하지만

오늘 저 산 정상에 오를 거야. 준비물을 챙겨야겠어.

애초의 목적을 잊어버리고 도구적 존재자에 빠져서 허우적거리기도 하지.

어, 어떤 것을 살까?

＊몰입 – 깊이 파고들거나 빠짐.

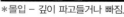

건강을 위해 다이어트를 시작했지만, 집착하다가는

안 먹어!

오히려 건강을 잃는 경우가 있어. 수단이었던 다이어트가 목적이 되어 버린 거야.

아이고, 이제는 배고파도 밥을 못 먹겠어.

사랑하는 사람과의 행복한 삶을 꿈꾸며 결혼을 준비하지만,

나 어때?

아, 정말 잘 어울린다.

비싼 예물이나 집, 돈과 같은 혼수 문제로 결국 헤어지기도 하지.

어떤 것으로 할까?

자기야, 혼수만 보러 다니면 어떡해!

물론 사람들이 이렇게 살아가는 방식 또한

남들처럼 평범하게 살고 싶어.

자기의 선택과 결정에 따라 이루어졌어.

다른 방식으로 사는 삶을 나 스스로 선택하지 않은 거라고!

그렇지만 과연 그것을 진정 자신이 선택한 삶이라 할 수 있을까?

앵무새가 사람의 말을 흉내 내는 것처럼 단지 그들의 삶을 흉내 내는 것은 아닐까?

바보! 바보!

내가 지금 여기에 왜 존재하는지, 내가 왜 이 일을 하고 있는지,

어, 다들 집에 갔네. 나도 집에 가야지.

자신의 존재에 대한 실존적인 고민 없이 이루어지는 삶은 '비본래적'인 삶이야.

남들 하는 대로 사는 게 뭐가 나빠?

터벅 터벅

하이데거는 이렇게 사는 것을 '퇴락', 곧 '무너져 내림'이라고 이야기했어.

자기의 삶이 무너져 내리는 거야.

자신의 삶에 의미를 갖지 못하고 자꾸만 사람들 속에 묻혀 버리려는 거지.

가, 같이 가!

왜냐고? 그게 익숙하고 편하니까. 대부분의 사람들은 불편하고 싶어 하지 않아. 뭔가 걱정거리가 생기면 불안하거든.

왜, 이제 나와?

그게… 너무 공부에 열중하느라.

그나저나 좋은 대학을 나오는 게 꼭 중요한 것일까?

한 번뿐인 삶인데 왜 이렇게 대학에 들어가기 위해 죽어라 기를 써야 하는 거지? 굳이 대학에 안 들어가도 되지 않을까?

내가 원하는 삶은 이게 아닌데….

아니야… 그러면 사회에서 대접을 못 받을지도 몰라.

남들과 다른 방식의 삶을 선택함으로써 그들과 어울리지 못할까 봐 불안에 떨지.

나만 이 드라마를 보면 어떡하지? 다른 거 볼까?

불안이라는 기분은 칼이나 자동차와 같은 존재자들에게서 느끼는 공포와는 달라.

불안과 공포는 비슷한 것 같지만 엄연히 달라.

음식을 만들 때 사용하는 칼이 사람을 죽이는 도구로 사용될 때 우리는 그것을 두려운 존재로 느끼지. 공포를 느끼는 거야.

가진 거 다 내놔!

으… 여기 있어요.

까짝!

자동차도 마찬가지야. 일상생활에서 자동차는 편리한 교통수단이지만,

중앙선을 넘어서 내 쪽으로 달려드는 순간 공포의 대상이 되어 버리지.

으악, 저 놈이 미쳤나?

이처럼 공포는 어떤 특정한 존재자들이 우리에게 해를 가할 수 있을 때 생기는 거야.

그래서 공포의 경우 우리가 원인을 분명하게 파악만 한다면

응? 무슨 소리지?

그것을 극복하는 방법을 찾아낼 수 있지.

뭐야, 창문이 열려 있었잖아.

그러나 불안은 언제 어떻게 나에게 닥쳐올지 알 수 없어. 예측할 수도 없고 정체를 파악하기도 어렵지.

불안

불안이라는 기분에 사로잡히는 순간 우리는 남이 아니라 자신에 대해서 생각하게 돼.

불안

아, 난 어떻게 살아야 할까?

그래서 사람들은 문득 자신의 존재를 의식하게 만드는 불안을 외면하려 하지.

불안

뭐… 잘 살 수 있을 거야.

남들이 사는 대로, 사회에서 요구하는 대로 적당히 맞추면서,

불안

적당히! 튀지 않게!

적당히 만족하면서 살아가려 해.

마치 자기가 선택하고 결정한 것처럼 착각하면서 말이야.

그러고는 자기 스스로를 이렇게 위로하지.

아, 사는 게 다 그래. 사회에서 좋다고 하는 기준에 맞추어 살면 그걸로 된 거야.

사실 그 기준에 맞춰 사는 것도 쉬운 일은 아니야.

적어도 난 남들에게 뒤처지진 않았잖아. 평범하게 사는 것도 쉽지 않다고.

그러나 이런 사람들의 삶의 방식을 당연하게 받아들이고 편안함을 느낄수록

빠앙

평범한 삶이 마음 편해.

우리는 사람들이 만들어 놓은 공공의 세계에서 빠져나오기가 더더욱 어려워져.

빠져나올 생각조차 안 하는 거지.

자신의 존재를 마주하고 자신만의 고유한 삶의 방식을 선택한다는 것은 무척 용기가 필요한 일이거든.

일반적인 삶

나만의 삶

여러분은 어때? 불안과 정면으로 마주할 용기가 있니? 아니면 도망갈 준비를 하고 있니?

진리란 무엇일까?

▲ 파르메니데스 두상

'진리란 무엇일까?' 사실 이 물음은 '철학이란 무엇인가?' 라는 물음만큼이나 참으로 대답하기 어려운 문제입니다. 철학의 주요 임무 중의 하나 역시 진리를 찾는 것입니다. 진리란 이 세계와 인간을 아우르는 참된 이치를 말합니다. 그리고 이런 참된 이치야말로 진정한 지혜라고 철학자들은 생각했습니다. 그래서 과거부터 오늘날에 이르기까지 수많은 철학자, 신학자, 과학자 등 이른바 학자들은 진리 찾기에 온 힘을 기울여 왔습니다. 저마다 자신의 기준이나 방법에 따라 진리를 찾고자 노력했습니다만 '진리란 무엇이다.' 에 관한 공통된 답을 구하지는 못했지요.

고대 그리스의 철학자인 파르메니데스는 진리란 빛을 향해 나아가는 탐구의 길이며, 참된 '있음' 을 깨닫는 것이라고 했습니다. 여기서의 '참된 있음' 은 변하지 않는 절대적인 것을 말합니다. 그는 진리를 탐구하는 것은 '있음의 길' 과 '없음의 길' 로 나뉜다고 생각했습니다. 그러나 없는 것은 존재하지 않는 것이고 생각할 수 없는 것이기에 탐구할 수 없다고 보았습니다.

진리에 대한 이런 생각은 여러 철학자들에게 큰 영향을 주었습니다. 진리의 존재에 대해 인정하는 철학자들과 인정하지 않는 철학자들로 나뉘었지요. 먼저 진리의 존재를 믿는 플라톤은 '참된 있음'을 바로 이데아로 보고 이데아로 나아가는 길을 밝히기 위해 무던히 노력했습니다. 토마스 아퀴나스는 진리란 신을 닮은 것이며, 인간의 이성에 의해서 증명될 수 있다고 생각했습니다. 헤겔에게 있어서 진리란 곧 절대 정신이었습니다. 그는 이 진리를 변증법적인 방법(대립되는 전제를 통해 본질을 파악하는 방법)을 통해서 파악할 수 있다고 여겼습니다.

반면 프로타고라스나 고르기아스와 같은 소피스트들(기원전 5세기 무렵 변론법을 가르치던 사람들)은 이 세상에 절대적인 진리라는 것은 없다고 주장했습니다. 진리는 생각하기에 따라서 달라지기 때문에 때와 장소의 영향을 받아 내용이 달라진다고 생각한 것입니다. 이런 생각은 이후 근대의 로크나 흄과 같은 경험주의자들을 거쳐, 쇼펜하우어, 니체 등의 철학자들에게 영향을 미쳤습니다.

하이데거는 진리에 대한 이런 논의들이 진리를 인간의 이성으로 파악할 수 있는 대상으로 여기게 했다고 주장합니다. 그는 진리란 존재가 우리에게 드러나는 것이지 우리가 억지로 인식하는 대상이 아니라고 이야기합니다. 그는 진리라는 말의 유래를 밝히면서 이를 더 분명히 하고자 했습니다.

진리라는 말은 고대 그리스 어로 알레테이아(aletheia)라는 말에서 비롯되었습니다. 알레테이아는 '은폐되지 않은 것, 드러나 있는 것'이라는 의미입니다. 다시 말해 진리는 존재 그 자체의 모습이 감추어져 있지 않고 드러나 있는 것이라는 뜻입니다.

하이데거는 진리의 어원을 밝히면서 인간이 진리를 구하기 위해 해야 할 일은 머리를 쓰는 것이 아니라 존재의 빛 아래 서서 존재의 목소리에 귀를 기울이고, 존재가 스스로 모습을 드러낼 수 있도록 존재 앞에서 자기 자신을 낮추는 것이라고 말했습니다.

제8장 죽음과 현존재의 시간성

우아! 이제 드디어 길고 길었던 여행도 목적지에 다 와 가는구나.

거의 다 왔다!

어렵고 힘든 여행이었는데, 포기하지 않고 여기까지 온 여러분이 무척 자랑스러워.

여러분에게만 하는 이야기인데….

《존재와 시간》 속으로 여행할 때 난 몇 번씩이나 포기하고 싶었어.

으, 대체 무슨 말이야?

하이데거가 쏟아 내는 말들이 너무 어려워서 내가 모자란 것은 아닌가 하고 한숨이 절로 나왔거든.

철학 여행을 하면서 만난 하이데거가 원망스러울 때도 있었지.

하이데거 미워!

하하….

철학 여행이 뭐냐고?

난 철학자들이 걸어왔던 길을 따라 여행을 하고 있었거든.

때로는 천천히 때로는 재촉하며 목적지를 향해 가던 중 하이데거를 만난 거야.

어라? 하이데거 선생님 아니세요?

응?

인사를 나누고 난 뒤 어디 가시는지 여쭸더니 이렇게 대답했지.

이렇게 유명한 분을 만나다니…. 전 마틴이라 해요. 그런데 어디 가세요?

《존재와 시간》으로 여행을 할 거야.

《존재와 시간》? 난 그가 하려는 여행이 무척이나 궁금했어.

그런데 왜 이 여행을 하시려고요?

하이데거는 대답했지.

사람들이 존재에 대해서 묻지 않으니까.

존재라는 말을 늘 사용하면서도 정작 존재가 무엇인지 물으면 정확하게 대답을 못 해. 그러면서 잘 알고 있다고 착각하고 있지.

어라? 제가 알기로는….

하이데거의 말을 의아하게 여기며 질문했어.

플라톤에서부터 아리스토텔레스를 거쳐 선생님의 스승인 후설까지 많은 철학자들이 소리 높여 이야기했는데요?

하이데거는 잠시 나를 바라보더니 말을 이었어.

물론 수많은 철학자들이 존재 문제에 관심을 기울였지.

그럼요.

하지만 내가 보기에 그들은 존재 자체가 아니라 존재자의 문제에 매달렸을 뿐이야.

존재자

그들은 존재란 무엇인가가 아니라 존재자란 무엇인가에 대해서 물었던 거지.

이 세상의 모든 만물들이 존재하게 된 원인은 무엇일까?

존재자들은 왜 생겼다 없어질까?

혹시 이런 변화에 배후가 있는 것이 아닐까?

하지만 존재론의 본래 임무는 존재자의 존재가 무엇인지를 밝히는 거야.

흐음.

난 하이데거의 대답을 듣고 그가 어떻게 존재의 의미를 밝혀낼지 궁금해졌어.

그런데 어떻게 존재의 의미를 밝히려는 거예요?

하이데거는 웃으며 말했어.

넌 참 질문이 많구나. 질문을 한다는 것은 좋은 거야.

히히.

먼저 존재의 의미에 대해 이해하고 답할 수 있는 존재자에게 물어봐야겠지.

그 존재자는 무엇인데요?

그 존재자는 다름 아닌 바로 우리 인간이란다.

다른 존재자들은 존재에 대한 경험이 없고, 또 존재에 대해 물어볼 수 있는 언어가 없기 때문이야.

존재에 대해 물어봐도 될까?

….

그래서 인간에게 존재 의미를 묻는 것은 굉장히 중요해.

이건 존재자의 존재 의미를 밝히기 위해 통과해야 할 첫 번째 관문이거든.

그렇군요!

이렇게 나와 하이데거의 만남은 시작되었어.

그리고 하이데거와의 만남이 있었기에 여러분을 이렇게 《존재와 시간》으로의 여행에 초대할 수 있었던 거지.

하이데거에게 감사하라고.

그래서 우리가 이 고생을 하는구나.

그와 만나면서 '인간은 이성적인 동물' 이라는 명제*를 당연하게 받아들이는 나의 태도를 되돌아보았어.

인간은 과연 이성적인 동물일까?

당연하지요.

무슨 근거로?

권위 있는 철학자들이 한 말이었고, 사람들이 당연하게 생각하는 상식이었기 때문에 의심하지 않은 거지.

아… 그야 유명한 철학자들이 그렇게 말해서…

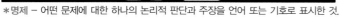

＊명제 – 어떤 문제에 대한 하나의 논리적 판단과 주장을 언어 또는 기호로 표시한 것.

존재와 시간

혹시 고대의 인도 우화인 '장님과 코끼리'의 이야기 들어 본 적 있니?

아니!

다섯 명의 장님이 있었어. 그들은 난생 처음 코끼리를 만져 보고 코끼리가 어떻게 생긴 동물인지 이야기를 나누었지.

잠깐 그들의 이야기를 들어 볼까?

코끼리는 뱀과 같아.

아니야. 커다랗고 넓은 부채 같아.

단단한 벽 같아.

무슨 소리. 굵은 기둥과 같은 걸.

아니야, 굵은 밧줄과 같아!

이 다섯 명의 장님이 한 이야기는 모두 맞는 이야기야.

그것 봐. 내 말이 맞잖아.

아니지. 내 말이 맞다는 거야.

허허, 이 사람들!

부분적으로는 말이지. 그런데 전체를 보면 누구도 코끼리의 모습을 제대로 표현했다고 할 수 없어.

그런가?

너 때문에 나까지 틀렸잖아.

왜 내 탓이야?

전통적인 형이상학에서 인간의 존재를 바라본 시선도 이와 같아.

뭐? 우리가 저 장님들 같다고?

인간을 전체적으로 보지 못하고 이성만으로 인간의 본질을 규정하려 한 거지.

그, 그런가?

물론 인간은 동물보다 뛰어난 이성을 지니고 있어.

이 성

멍!

하지만 이 이성은 인간이 존재하는 다양한 방식 중 하나일 뿐이야.

인간은 이성뿐만 아니라 감성이나 오감*으로도 존재하거든!

그래서 하이데거는 '인간은 이성적인 동물이다.'라는 표현에 대해서 이렇게 말했어.

올바르지만 참된 표현은 아니다.

*오감 – 시각, 청각, 후각, 미각, 촉각의 다섯 가지 감각.

이성은 동물과 인간의 가장 큰 차이점일 뿐이지 '인간의 있음'이 '다른 존재자들의 있음'과 근본적으로 어떻게 다른지는 설명하지 못하거든.

이성

미안, 나도 어떻게 다른지 모르겠어.

윽, 이럴 수가!

하이데거는 인간과 다른 존재자들의 차이는 이성이 아니라 바로 존재함의 방식, 즉 실존에 있다고 했어.

실존한다는 것은 일차적으로는 인간이 존재하고 있다는 사실을 의미해.

그러나 앞서 이야기한 것처럼 인간이 존재한다는 것은 꽃, 나무, 강아지가 놓여 있거나 눈앞에 있는 것과는 달라.

멍멍

꽃은 자신이 어떻게 살아가야 할지 자신의 가능성을 스스로 결정할 수 없지만

….

인간은 그렇지 않다고 했지?

인간은 자기의 존재가 정해져 있다고 해서 가능성을 닫아 버리는 존재자가 아니지.

그래서 하이데거는 인간의 존재를 이렇게 이야기했어.

인간의 존재는 '가능 존재', '자기를-앞질러-있음'이라고 설명할 수 있지.

인간은 훗날 자신이 되고자 하는 모습을 그리면서

사실 나는 그림을 잘 그리는데…. 화가가 될 수도 있지 않을까?

세계 안에서 지금 자신의 모습을 문제 삼으며 살아간다는 거지.

그럼… 내가 지금 공부만 하는 것은 잘하는 것일까?

그러나 인간의 존재 가능성은 무한히* 이어질 수 없어.

왜?

인간의 삶이란 끝이 정해져 있거든.

나는 의사가 될 수도 있고 연예인이 될 수도 있지.

*무한히 – 수, 양, 공간, 시간 등에 제한이나 한계가 없이.

하지만 될 수 있다는 것은 하나의 가능성이지 확실한 것은 아니야.

흠, 그래! 확실히 가능성만 있는 거지.

그런 의미에서 인간의 존재 가능성은 불확실하다고 할 수 있지.

의학 공부를 했지만 의사가 안 될 수도 있거든.

하지만 단 하나 확실한 가능성은 있어.

그게 뭔데?

바로 죽음의 가능성이야.

이 세상 모든 것이 불확실하지만 우리가 죽는다는 사실만은 확실해.

으, 죽음!

돈이 많거나 적거나, 예쁘거나 못생겼거나, 누구든 죽음을 피할 수 없지.

....

난 예쁘니까 봐줘요!

죽음은 장애물 경주에서 장애물을 뛰어넘듯이 건너 뛸 수 없는 거니까.

네가 아무리 예뻐도 이 죽음의 바다를 생략할 수는 없어.

철썩

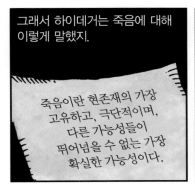

그래서 하이데거는 죽음에 대해 이렇게 말했지.

죽음이란 현존재의 가장 고유하고, 극단적이며, 다른 가능성들이 뛰어넘을 수 없는 가장 확실한 가능성이다.

인간은 누구나 태어남과 동시에 죽어야 할 운명에 처해.

응애!

응애!

하이데거는 이런 인간의 운명을 다음과 같이 표현했어.

인간은 태어나자마자 죽기에 충분할 만큼 늙어 있다.

죽음은 인간이 존재하면서부터 떠안을 수밖에 없는 존재 방식이지.

안녕?

헉!

그런데 여기에서 하이데거가 말하는 죽음이란 생명이 끊어지는 생물학적인 현상이 아니야.

내가 말하는 죽음은 생물학적 죽음과는 달라!

생물학적인 죽음은 강아지나 나무와 같은 다른 존재자들에게도 일어나는 것이니까 말이야.

생명이 '끝' 나는 것은 모든 생명체에게 일어나는 일이지만 죽음을 이해하고 죽을 수 있는 것은 오직 인간뿐이지.

내 죽음을 적에게 알리지 마라!

장군님!

하이데거는 이런 인간의 죽음을 '사망'이라고 표현했어.

나무나 동물이 사망했다고 표현하지는 않지?

응, 그러네!

너희 혹시 장례식장에 가 본 적 있니? 가족이든 친구이든 누군가 사망하면 사람들은 장례식장으로 문상*을 가지.

*문상 – 남의 죽음을 슬퍼하며 상주를 위문함.

문상객들은 고인의 영정** 앞에 향을 피우고 절을 하거나 국화꽃을 바치고 기도를 해.

**영정 – 제사나 장례 때 쓰는 사람 얼굴 족자.

그러면서 죽은 사람의 넋을 위로하고 유족들과 함께 슬픔을 나누지.

고인은 무덤 속에 묻히거나 화장되어 한 줌의 재로 변해 세상을 떠나지만

남아 있는 사람들은 고인과 함께했던 삶을 기억하며 그와 함께 있는 거야.

아버지! 저와 함께 이곳에서 낚시했었죠. 기억나세요?

하이데거의 표현에 의하면 '공동 존재' 하는 거야. 단순히 생물학적인 종말로 끝나는 게 아니지.

아버지는 제 마음 안에서 저와 함께하실 거예요. 자주 낚시하러 올게요.

휘이아

이렇게 고인은 장례, 매장 등의 방식으로 배려의 대상이 되고

남은 사람들은 고인과 공동 존재하지만, 그래도 그것은 여전히 타인의 죽음일 뿐이야.

아버지의 죽음이라도 나의 죽음은 아니지.

타인의 죽음을 간접적으로 경험하는 것과

아버지!

내가 죽는 것은 엄연히 달라.

나 죽었구나.

연인들이 때로 사랑을 맹세하며

줄리엣! 당신을 위해 대신 죽을 수도 있어.

라고 이야기하지만, 그것 역시 '나'의 죽음은 아니지.

줄리엣!

죽음은 대리가 불가능해.

죽음은 언제나 '나'의 죽음일 수밖에 없는 거야.

이 책을 읽고 있는 너희도 각자 자신의 죽음을 마주하고 있는 거야.

존재와 시간

죽음이라니 갑자기 섬뜩해진다고?

마틴, 불안하잖아. 그만해.

하하….

그래, 이 불안이 문제야.

하이데거는 인간에게는 항상 '죽음에 대한 불안'이 도사리고 있다고 이야기했어.

인간은 항상 죽음에 대한 불안을 가지고 살지.

사람들은 대개 불안이 느껴지면 기분 나빠하며 떨쳐 버리려고 하지.

불안

에잇, 어서 떨어져!

하지만 하이데거는 불안이 현존재를 이해하는 데 굉장히 중요하다고 생각했어.

흠….

불안

죽음과 현존재의 시간성

205

사실 그동안 서양 철학에서 기분은 그다지 주목받지 못했지.

뭐? 불안? 그런 변하는 기분이 뭐가 중요하다는 말야?

기분이란 그저 사소하고 일시적인 변덕 정도로 취급해야 해.

때로는 이성을 마비시키는 장애물이기도 하고 말이야.

사랑 때문에 일을 내팽개치거나

아, 내일까지 일을 마무리해야 하는데…. 뭐, 어떻게 되겠지.

짜증이 난다는 이유로 폭력을 휘두르는 사람들도 있잖아?

아우, 짜증나!

그러나 하이데거는 이렇게 주장했지.

기분이야 말로 세계를 가장 진실하게 드러내 준다!

친구와 싸우고 나서 짜증이 나거나 화가 날 때 평온한 일상은 깨지고 말아.

야, 멍청아!

뭐, 멍청이? 이 바보 같은 녀석이!

내가 왜 그랬지? 좀 더 참을걸. 아니야, 마틴이 잘못한 거야.

내일 학교에서 어떻게 마틴의 얼굴을 보지?

그 친구와 함께 같은 반에서 생활하는 것이 부담스러워지면서

….

….

그동안 생각하지 못했던 자신을 돌아보게 되지.

이 교실 안에서 나는 어떤 존재일까? 다른 친구들도 나를 멍청이라고 생각할까?

우리가 순간순간 느끼는 기분을 통해서 우리는 그동안 잊고 지낸 자신의 존재를 돌아보게 돼.

나는 정말 바보 같은 녀석일까?

나는 정말 멍청한 것일까?

야, 쟤들 왜 저러냐?

언제는 죽고 못 살더니….

하이데거는 그중에서도 자신의 존재에 직면하게 하는 가장 탁월한 기분을 '불안' 이라고 했지.

행복

기쁨

짜증

불안

음하하!

불안, 니가 최고다!

존재와 시간

학교, 학원, 직장에 다니느라 분주한 일상생활에서

우리는 자신과 마주할 시간을 갖기가 쉽지 않아.

안녕, 존시?

그러다 문득 이런 기분이 들 때가 있지.

후유, 사는 게 뭐 이래. 재미없어. 나는 지금 뭘 하고 있는 거지?

사는 게 의미 없고 텅 빈 것처럼 느껴지고,

왜 내가 세상 사람들이 사는 대로 살아야 하지? 정말 싫어!

그동안 소중하게 여겨 왔던 것들이 와르르 무너지는 것 같은 거야.

어머나

와르르

불안이라는 기분이 갑자기 찾아들자 그동안 익숙했던 삶과 세계가 낯설게 느껴지면서

안녕?

불안

앗, 너는?

비로소 그동안 의식하지 못했던 자신의 존재를 문제 삼게 되지.

불안

이봐, 너! 계속 이렇게 살아도 된다고 생각해?

그, 글쎄….

자신의 존재를 정면으로 마주하면 일반적인 세상 사람들의 삶의 방식에서 빠져나올 수 있어.

불안

자, 획일화된 세상에서 벗어나자!

우아.

슈우우

불안이라는 기분이 이런 중요한 역할을 하기 때문에

불안

나는 인간의 삶에 중요한 역할을 한다고 할 수 있지.

하이데거는 대학에서 강의할 때 셸링*의 말을 자주 인용했다고 해.

삶의 불안이 인간을 자신의 중심에서 몰아낸다.

불안 중에서도 우리의 존재를 절실 하게 느끼게 해 주는 근본적인 불안이 바로 죽음에 대한 불안이야.

성적

취업

죽음

결혼

죽음에 대한 불안이 근본!

진로

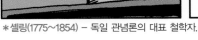

*셸링(1775~1854) – 독일 관념론의 대표 철학자.

죽음에 대한 불안을 하이데거는 이렇게 풀이했어.

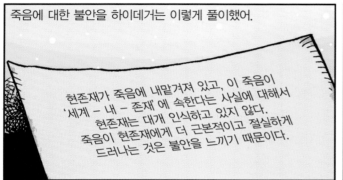

현존재가 죽음에 내맡겨져 있고, 이 죽음이
'세계 – 내 – 존재'에 속한다는 사실에 대해서
현존재는 대개 인식하고 있지 않다.
죽음이 현존재에게 더 근본적이고 절실하게
드러나는 것은 불안을 느끼기 때문이다.

너희 혹시 뭉크*라는 화가를 아니?

뭉크?
난데없이 웬 화가
이야기야?

*에드바르트 뭉크(1863~1944) – 노르웨이의 화가·판화가.

뭉크는 〈절규〉라는 그림으로
유명한 화가인데,

안녕?
난 뭉크야.

하이데거가 말한 죽음에 대한 불안을
온몸으로 느끼며 산 사람이 바로
뭉크라는 생각이 들어.

으, 죽음은
두려워.

떨 떨

이 그림이 바로 〈절규〉라는 그의
작품인데, 잠깐 감상해 보렴.

뭔가 괴기스럽고 오싹하지? 녹아내
린 프라스틱처럼 하늘과 땅은
일그러져 있고,

해골처럼 생긴 사람이 뭔가에 놀란
듯이 두 손으로 자신의
얼굴을 감싸고 있어.

그런데 이상한 것은 뒤에서 걸어오는
두 사람이야. 이 두 사람의 모습은
지극히 정상적이거든.

이 작품은 뭉크가
자신의 경험을 바탕으로
그린 거야.

무슨
경험을
했기에?

어느 날 그는 알 수 없는
불안감에 휩싸였대. 당시의
기분을 뭉크는 이렇게 적었어.

한번
들어 볼래?

두 명의 친구와 거리를 걷고 있었지.

해가 뉘엿뉘엿 지고 있었고, 하늘이 핏빛으로 붉게 물들고 있었어. 그때 난 약간 기분이 우울했지. 난 멈추어서 난간에 기댔어. 피곤해서 죽을 지경이었거든.

피처럼, 칼날처럼 피어오르는 구름이 보였고, 바다와 곶은 푸른색을 띤 검은색이었어. 내 친구들은 계속 걸어갔지만, 난 거기에 멈추어 서서 불안에 떨고 있었지.

*곶 – 바다 쪽으로 좁고 길게 뻗어 있는 육지의 한 부분.

그리고 바로 그 순간 자연을 통해 울리는 끝없이 계속되는 절규를 들었어.

으아아아!

뭉크는 평생 죽음에 대한 불안을 안고 산 사람이야.

나는 요람에서부터 죽음을 알았어.

그는 자라면서 무수히 많은 사람들의 죽음을 목격했고,

자신 또한 병으로 죽을 뻔한 경험을 갖고 있었기 때문이지.

으으, 죽을 것 같아.

그의 아버지는 노르웨이의 오슬로 시에서 가난한 사람들을 진료하던 의사였대.

아버지 곁에서 병으로 고통받으며 죽어 가는 사람들을 봐 왔던 거지.

게다가 이런 불행은 뭉크에게도 닥쳐왔어. 다섯 살 때 어머니가 돌아가셨고, 열네 살 때 누나도 결핵에 걸려 갑자기 죽었거든.

흑흑

누나! 흑흑!

자신이 겪었던 어린 시절의 기억 때문인지 뭉크는 평생 죽음을 주제로 그림을 그렸어.

사람들은 나를 절망의 화가라고도 불렀단다.

그는 훗날 자신의 삶에 대해 이렇게 말했다고 해.

나의 요람을 지켜보고 있던 것은 병과 광기, 그리고 죽음의 검은 천사들이었다.

그들은 줄곧 나의 삶에 달라붙어 떨어지지 않았다.

병

죽음이란 우리의 삶 속 매순간에 깃들어 있어.

죽음이라는 것은 언제, 어떻게 누구에게 닥칠지 아무도 몰라.

'넌 언제 어떻게 죽을 거야.' 라는 예고를 받고 죽는 사람은 아무도 없잖아?

자넨 내일 죽을 거라네! 팍! 팍!

흥

흥, 웃기지 마세요!

죽음은 아직 오지 않은 미지의 사건이 아니라 늘 나의 존재와 함께 있고, 눈앞에 닥쳐 있는 거야.

....

....

그래서 죽음에 대한 불안은 고통스럽지.

흥! 내일 내가 죽는다니, 말도 안 돼.

더욱이 불안이 공포로 바뀌면 사람들은 두려움에 몸서리치며 떨지.

정말 죽으면 어떻게 하지?

덜덜덜

뭉크는 이런 면에서 참 용감한 사람이었다고 생각해.

죽음에 대한 불안으로부터 도망치지 않고 그것을 용기 있게 받아들였으니까.

만일 그가 도망쳤다면 자신만의 독특한 그림 세계를 만들어 내지 못했을 거야.

하지만 대개 사람들은 자신이 죽을 수 있다는 사실을 애써 외면하면서 도망려 해.

어디로 그렇게 도망 가시나?

으아, 안 들려!

죽음을 아직 일어나지 않은 사건 정도로 생각하면서 스스로를 위안하는 거야.

사람은 누구나 죽어. 나도 언젠가는 죽겠지. 하지만 지금은 아니야.

그러고는 바쁜 일상 속에 파묻혀 죽음을 잊어버린 채 생활하지.

안녕.

안녕!

존재와 시간

그러다 문득 죽음에 대한 불안이 피어오를 때면 이 불안을 어떻게든 억누르려고 해.

야, 누워 있어!

그러나 억누르면 억누를수록 불안은 더욱 커져 공포로 바뀌지.

공포로 변신!

으악!

불안이 공포로 바뀌면 목숨이나 재산, 명예와 같은 것들을 위협하는 것처럼 느껴져.

네 이놈!

크흑!

그래서 사람들은 죽음을 어떻게든 물리쳐야 할 불행한 사건으로 생각하지.

얏! 얏!

음하하! 가소로운 놈!

중국의 진시황제가 그랬던 것처럼 말이야.

나 진시황제는 중국 역사상 최초로 중국을 통일한 사람이야.

만리장성 알지? 이것을 쌓은 사람이 바로 진시황제야.

진시황제는 엄청난 권력과 힘을 가졌지만 그 역시 죽음을 피할 수는 없었지.

여기 숨었구나!

헉!

죽음은 그에게 공포의 대상이었어. 자신이 이룩해 놓은 것들을 빼앗아 가 버리니까. 그래서 어떻게든 죽음을 피하려고 온갖 노력을 다했지.

어디를 그렇게 바삐 가시나?

크흑! 저리 가!

그는 신하들에게 신선들이 먹는다는 '불로초*'를 구해 오라고 명령했어.

너희는 불로초를 찾아오라!

네!

명령을 받은 신하들은 사방팔방으로 불로초를 찾으러 다녔지만 결국 구할 수 없었지.

남쪽에는 없어.

에잇, 도대체 불로초란 게 있을 리 없잖아!

북쪽도 마찬가지야.

불로초를 찾지 못하자 그는 의원들에게 영원히 살 수 있는 약을 만들라고 지시했어.

그럼 약이라도 만들어라!

네….

*불로초 – 먹으면 늙지 않는다는 풀.

의원들은 수은을 고체 상태로 만들어 진시황제에게 바쳤는데,

여기 있습니다!

오, 수고했느니라!

당시 수은은 중국인들 사이에서 장수의 꿈을 이루어 주는 물질로 알려졌다고 해.

진시황제는 수은으로 만든 약을 꼬박꼬박 먹었고 심지어는 피부에 바르기도 했대.

랄라. ♪

하지만 수은은 굉장히 독성이 강한 물질이야. 당시 사람들은 몰랐지.

꿀꺽!

결국 진시황제는 수은 중독으로 병들어 50세의 나이로 죽었어.

이상하다. 몸이 왜 이러지….

오래 살기 위해 수은을 먹었는데 수은 때문에 더 일찍 죽어 버린 셈이지.

으윽, 억울해!

진시황제가 유별나다고 생각하겠지만 사실 죽음에 대한 공포를 이겨 내려는 노력은 오늘날에도 계속되고 있어.

지금도?

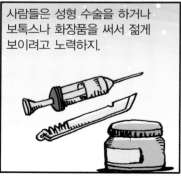

사람들은 성형 수술을 하거나 보톡스나 화장품을 써서 젊게 보이려고 노력하지.

또한 운동을 해서 근육을 만들고 몸매를 가꾸면서

나이 드는 것을 조금이라도 늦추어 보려고 애를 쓰고 있어.

그뿐인가? 몸에 좋다는 보양 음식을 열심히 찾아 먹기도 해.

덕분에 보양 식품으로 알려진 토종 개구리와 뱀 등이 멸종 위기에 처했지.

심지어 미래에 의학 기술이 발전하면 다시 살아날 수 있을 거라는 믿음으로 자신의 시신을 냉동 보존하는 사람들도 있어.

진시황제처럼 불로불사*의 삶을 꿈꾸면서 말이야.

에이 마틴. 죽음에 대한 두려움은 누구나 갖고 있는 거야. 그래서 어떻게든 살아 보려고 의학의 힘을 빌리는 거고.

오히려 평소에 죽음을 의식하고 사는 게 더 기분이 나쁜 거 아니야?

음….

영원한 삶을 꿈꾸는 게 나쁘다는 거야? 죽고 싶어 하는 사람은 없지 않아?

맞아!

그래. 죽음을 두려워하고 거기에서 벗어나려 발버둥치는 것은 어쩌면 당연해.

이건 도덕적으로 나쁘다 아니다 평가할 수 있는 문제가 아니야.

그렇지만 한계가 있는 삶이기에 어떻게 사느냐가 더 중요하지 않을까?

내가 지적하고 싶은 것도 바로 그 점이란다.

죽음을 어떻게든 극복해야 할 대상으로 여기면서

덤벼라, 죽음!

사람들은 약이나 성형 수술, 운동, 일, 종교 등에 매달려. 세상 사람들이 하는 방식을 따르면서 말이지.

정작 어떻게 하면 자신의 삶을 충만하게 살아갈 수 있는지에 대한 중요한 고민은 제쳐 놓고 말이야.

나도 멋진 몸매를 만들어야지.

하이데거는 이런 삶을 퇴락*한 삶이라고
이야기했어.

뭐?
퇴락한 삶?

대부분의 사람들은 퇴락한 삶을 살고 있으면서도 자신이
충실하게 잘 살고 있다고 착각을 한다면서 말이야.

흥! 무슨 소리야?
이렇게 열심히
운동하고 있는데.

*퇴락 – 지위나 수준이 뒤떨어짐.

자신의 고유한 삶을 살지 못한다는
것은 어떻게 보면 시간을 죽이면서
살고 있는 것과 같아.

마치 '회색 인간' 들에게 시간을
빼앗기고 사는 사람들처럼 말이야.

당신
뭐야?

회색 인간이 누구냐고? 《모모》라는
소설에 나오는 사람들인데,

다른 사람들의 시간을 빼앗으며
사는 존재야.

야, 거기
안 서?

주인공 모모는 부모님이 안 계시는
외로운 아이였지만,

모모야,
안녕?

안녕하
세요.

마을 사람들은 모모를 찾아와
고민을 나누고는 했지.

아저씨,
무슨 일
있어요?

모모야,
글쎄
말이다….

사람들이 이야기를 하면 모모는 단지
열심히 들어 주기만 했는데

어제 내가 키우는
돼지가 없어졌지
뭐냐?

그래요?

신기하게 모모에게 이야기를 하면
고민이 풀리는 거야.

그런데 아저씨,
저기 보이는
돼지는 뭐죠?

앗,
내 돼지다!

이렇게 해서 모모에게는 친구들이
많이 생겼단다.

존재와 시간

그런데 어느 날 이 평화로운 마을에 회색 신사복을 입은 사람들이 나타났어.

두둥~!

그들은 사람들에게 이렇게 말했지.

시간은 금이야. 당신은 부모님을 모시고 아픈 사람을 도와주고 사랑을 나누어 주는 일들로 당신의 소중한 시간을 낭비하고 있어.

그, 그래요?

그러니 지금이라도 시간을 아끼고 무조건 일을 해야 해. 인생을 낭비하는 것은 나쁜 거야!

듣고 보니 그렇네요.

사람들은 그들의 그럴 듯한 말에 홀리기 시작했고 점점 모모를 찾아오지 않게 되었어.

맞아, 시간을 아껴서 살아야 해!

그런데 이상하게도 정신없이 일을 하며 시간을 절약할수록 점점 더 바빠지고 자기만의 시간은 줄어들었지.

바쁘다, 바뻐!

우유

매일매일 같은 생활이 반복될 뿐이었어. 시간 도둑들이 사람들이 절약한 시간을 빼앗았기 때문이야.

회색 인간들은 이런 사람들을 비웃었어.

자기와 상관없는 일에 하루하루를 써 버리면서도 인생을 알뜰히 살고 있다고 착각하고 있어. 후후!

대부분의 사람들은 시간을 낭비하는 것이 나쁘다고 생각하지.

우리는 시간을 낭비해서는 안 됩니다. 시간은 돈이거든요.

남들처럼 공부해서 대학을 가거나 사회에서 성공해야 시간을 효율적으로 잘 사용했다고 평가해.

오, 훌륭해!

시간 활용을 잘했군!

그렇지 못한 사람은 게으른 사람, 시간 관리를 못한 사람으로 평가받지.

젊을 때 시간 관리를 어떻게 했기에 지금 이러고 있나?

그래서 요즘에는 회색 인간처럼 시간을 관리해 주는 직업까지 생겨나고 있어.

당신의 시간을 관리해 드리지요.

학생들의 공부 스케줄을 짜 주거나 일과 여가 시간을 관리하는 방법을 알려 주고 돈을 받는 거지.

자, 이렇게 공부하면 됩니다.

네.

하지만 이렇게 사는 것이 과연 자신의 시간을 산다고 할 수 있을까?

으악! 이거 너무하잖아!

하이데거가 이야기했듯이, 인간은 '죽음을 향한 존재' 야.

죽음

우리는 시간 속에서 무한히 존재할 수 없어.

하이데거가 《존재와 시간》의 존재, 시간 사이에 '와' 라는 접속사를 넣은 이유도 바로 이 때문이야.

존재와 시간

인간이 시간적인 존재라는 것을 '존재와 시간' 이란 말로 표현한 거지.

그동안 서양의 철학은 시간과 상관없이 변하지 않는 본질이 무엇인가를 찾아 헤맸다고 하이데거는 생각했어.

진리를 추구하는 우리로서는 당연한 거지.

변하지 않는 것이야말로 누구에게나, 어느 것에나 통하는 보편적인 진리라고 여겼거든.

진리란 시간이 지나도 변하지 않으니까.

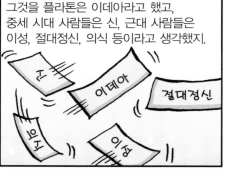

그것을 플라톤은 이데아라고 했고, 중세 시대 사람들은 신, 근대 사람들은 이성, 절대정신, 의식 등이라고 생각했지.

이데아

절대정신

하지만 하이데거는 보편적인 본질은 없다고 이야기해.

삶은 지극히 개인적이기 때문이야.

개별적으로 시간 속에서 어떻게 존재하느냐가 중요하다는 거지.

남들처럼 살거나, 아니면 자신이 원하는 대로 살거나. 여러분은 어떻게 살고 싶니?

그런데 여기에서 그가 말하는 시간이란 우리가 일반적으로 알고 있듯이 그렇게 과거, 현재, 미래의 순서로 흘러가는 객관적인 시간이 아니야.

과거 → 현재 → 미래

이런 일반적인 시간을 말하는 게 아냐.

존재와 시간

우리는 보통 시간을 객관적으로 측정할 수 있다고 여겨.

1시간은 60분, 하루는 24시간, 1년은 365일, 이렇게 말이야.

마치 사과, 연필과 같은 존재자처럼 시간을 계산할 수 있는 '배려'의 대상으로 생각하는 거야.

사람들은 달력을 보며 날짜를 계산하고, 시계를 보며 약속을 잡지.

마틴! 2일 5시에 만나서 같이 시험 공부하자!

공통된 시간 속에서 일을 하고 시계를 보며 편리하게 시간을 관리하면서 생활하고 있어.

째깍

째깍

1시간 뒤면 퇴근이야. 데이트 해야지.

그러나 시계가 편리하다는 것은 반대로 시계가 없는 삶이 참 불편하다는 의미이기도 해.

언제 퇴근하지? 얼마나 기다려야 퇴근 시간이야?

시계가 고장 나서 아침에 자명종 소리가 울리지 않으면 짜증이 나지.

으악, 지각이다!

계획된 일을 시간 안에 마치지 못하면 학교나 회사에서 밀려날 수밖에 없어.

으악! 주임 선생님이다!

그래서 더더욱 시계를 곁에 두고 1분 1초라도 바삐 움직이며 살아가려고 하지.

1분 1초가 중요해!

시간은 우리를 기다려 주지 않는다고 푸념하면서 말이야.

이봐, 좀 기다려 주면 안 돼?

어찌 보면 우리는 일상생활 속에서 시계의 초침과 분침이 가리키는 숫자들에 끌려다니며 살고 있다고 할 수 있어.

끼리릭

'시간은 돈이다.' '시간은 화살처럼 빠르다.'라는 격언을 되새기면서 말이야.

시간을 절약해야 해.

그리고 이렇게 시간을 절약해야 한다는 사람들의 강박 관념*을 상품 광고에 활용하기도 하지.

시간을 절약하는 장례 서비스! 지금 바로 예약하세요!

부팅이 빠른 컴퓨터

신속배달 △x음식구점

좋은 상품 소개해 드릴게요. 고객의 시간을 배려하는 ○○ 보험 서비스입니다.

＊강박 관념 - 마음속에서 떨쳐 버리려 해도 떠나지 않는 억눌린 생각.

그러나 하이데거는 '시계화된 시간'을 산다는 건 공허한 일이라고 이야기했어.

시계를 사용한다고 해서 시간이 누구에게나 공통된 것은 아니야.

똑같은 10분이라고 해도 사랑하는 사람과 전화하는 10분은 짧게 느껴지고,

자기야, 전화비 많이 나오겠다. 벌써 3시간째 통화 중이야.

벌써?

부모님에게 잔소리를 듣는 10분은 길게 느껴지겠지.

너 전화비가 얼마 나온 줄 알아?

모르겠는데요.

누구에게나 하루 24시간 똑같아. 그렇지만 주어지는 객관적인 시간은 시간이 갖고 있는 성격 중 하나일 뿐이야.

하이데거가 주목한 것은 바로 이런 시간의 성격이지.

나는 이를 '시간성'이라 불러!

그는 시간의 구조를 분석하면서 과거, 현재, 미래를 독특하게 해석해.

시간성이란 '있어 오면서(과거), 마주하면서(현재), 다가감(미래)'이야.

과거 → 현재 → 미래

쉽게 설명해 볼게. 보통 우리는 '과거는 이미 흘러가 버려서 더 이상 존재하지 않는 시간'이라고 하지?

과거는 과거일 뿐이지.

인간은 자신의 의지와 상관없이 세계에 내던져졌어.

내가 어떻게 세계에 존재하게 되었는지는 알 수 없지만 어쨌든 태어난 이상 자신의 존재를 떠맡아서 살아가야 해.

나 자신이니까 버릴 수도 없잖아.

그런데 우리가 자신의 존재를 떠맡을 수 있는 것은 바로 지금까지 내가 '있어 왔기' 때문이야. 이것이 바로 과거야.

과거의 내가 있기에 지금의 내가 있는 거야.

과거가 흘러가 버려서 더 이상 존재하지 않는다면 우리는 자신의 존재에 대해 책임질 필요가 없겠지.

네가 없으면 지금의 나도 없어지는 거야.

내가 없는데 어떻게 존재를 떠맡을 수 있겠어?

그리고 자신의 존재를 떠맡는다는 것은 자신의 존재 가능성을 스스로 결정하면서 살아가야 한다는 의미이기도 해.

다른 누가 아닌 내 스스로가 결정하면서 살아가야 해.

미래란 언젠가 오기 때문에 우리가 기다려야 할 시간이 아니라 자신의 존재 가능성을 향해 적극적으로 '다가가는' 시간이야.

탁 탁

미래

내가 어떻게 하느냐에 따라 미래는 달라지지!

시간의 한계를 깨닫고 어떻게 살아갈지 삶의 방식을 계획하고 결단을 내리는 거지.

이제 나는 즐기면서 살 거야.

이렇게 결단을 내린 뒤에야 비로소 인간은 자신이 처한 상황과 마주할 수 있어.

으아, 그러고 보니 나는 매일 공부만 하면서 살았구나!

이 '마주함' 이 바로 하이데거가 이야기하는 현재야.

현재란 나의 삶이 어떤 상황인지 알게 되는 것이지.

우리는 연필이 필통 안에 놓여 있듯, 그렇게 세계 안에 덩그러니 놓여 있는 게 아니라

….

주위의 존재자들을 도구로 사용하면서 살아가고 있다고 했지?

어서 숙제 해야겠다.

우리가 존재자들을 배려하며 살 수 있는 것은 우리가 존재자와 '마주하기' 때문에 가능해.

안녕? 연필아!

….

인간이 시간적으로 존재한다는 것은 시간을 자신의 것으로 만든다는 의미야.

내 거야!

과거, 현재, 미래라는 시간의 흐름에 따라서 강물에 떠내려가듯이 그렇게 존재하는 게 아니라

과거

현재

미래

그냥 사는 거지 뭐.

자신의 과거를 떠맡아 미래를 계획하면서 그 가능성 아래에서 현재를 살아가는 거야.

미래를 위해 현재를 충실히 살자.

미래

세상 사람들이 살아가는 방식대로, 죽음에 대한 불안으로부터 도망치면서 살아가는 것은 단지 시간을 죽이는 삶이지.

이렇게 살면 깊은 권태에서 헤어 나올 수 없다네.

권태?

어떤 일이나 상태에 시들해져서 싫증이 났을 때 우리는 권태를 느낀다고 해.

매일 공부, 공부, 공부! 싫증 나!

삶이 권태로울 때 사람들은 거기에서 빠져나오기 위해 새로운 호기심거리를 찾아 나서지.

뭔가 재미있는 게 없을까?

때로는 게임이나 스포츠, 연예인, 술, 잡담 등으로 자신의 생활을 바꿔 보려고 노력해.

하지만 이런 방법은 일시적일 뿐이야.

게임에 몰두하다가도 그 게임에 익숙해지면 싫증이 나는 것처럼 호기심이 사라지면 다시 권태에 빠지거든.

게임 Ⅱ 휙

아, 게임도 이제 지겨워!

그렇다면 깊은 권태에서 벗어나는 방법은 없는 것일까?

아, 지긋지긋해!

하이데거는 실존하는 것만이 유일한 방법이라고 이야기해.

실존?

존재와 시간

일상적인 삶에서 벗어나 자기 자신만의 고유한 삶을 사는 것,

이게 바로 실존하는 삶이고 본래적인 삶이야.

그리고 이런 삶을 살기 위해서 우리는 죽음을 향해 앞서 달려가 봐야 한다고 했지.

헛둘

헛둘

놀란 표정으로 나를 보는 친구들이 있는 것 같은데?

죽음을 향해 달려가 본다고? 마틴, 끔찍하잖아.

죽어 버리면 실존이고 뭐고 없는데, 어떻게 죽음으로 달려 가라는 거야?

죽음으로 달려 가라는 것은 진짜로 죽어 보라는 의미가 아니야.

사람들은 때때로 자신의 삶이 견디기 어려워 자살을 하지만, 자살은 실존적인 삶이 아니야.

그건 포기하는 거지. 자신의 삶을 용기 있게 받아들이는 자세가 아니야.

죽음으로 달려가 보라는 건 죽음에 대한 불안으로부터 도망가지 말고 죽음이 언제든 나에게 닥쳐올 수 있다는 것을 깨닫고 있으라는 거야.

어, 안녕….

안녕?

그렇게 하기 위해서는 자신의 내부에서 들려오는 양심의 소리에 귀를 기울여야 해.

아! 내가 죽을 수도 있구나! 그런데 너 이렇게 살면 되겠니? 한 번뿐인 삶인데 멋대로 자기 삶을 방치해도 되는 거냐고!

어디에서 나는 소리야?

도둑질을 하거나 거짓말을 하는 사람을 보면 보통 '양심이 없는 사람'이라고 이야기해.

저런 양심 없는 놈!

!

여기서 양심은 도덕적으로 옳고 그름을 판단하는 잣대인데, 하이데거가 말하는 양심은 이런 의미가 아니야.

내가 말하는 양심은 달라.

양심이란 실존적인 삶을 살라고 이야기해 주는 내면의 목소리지.

이 양심의 소리는 신이나 다른 사람의 소리가 아니라 바로 자기 자신으로부터 나오는 소리야.

'인간'이 아니라 '내'가 죽는다는 사실을 절실히 느꼈을 때,

내가 죽는다고?

우리는 자신에게 주어진 한정된 시간을 충실하게 살기 위해 노력할 수 있어.

이렇게 무의미하게 시간을 보낼 수는 없어!

만일 인간이 영원히 살 수 있다면 삶은 그만큼 소중한 가치를 지니지 않을지도 몰라.

굳이 지금 하지 않고 미루면 되니까 말이야.

인간은 '사이'의 존재야. 한쪽 끝에는 출생이 있고 다른 쪽 끝에는 죽음이 있지.

출생과 죽음 사이가 인간의 존재 전체를 이루는 거야.

출생과 죽음 사이에서 일어나고 있는 일들이 바로 나의 역사야.

우리는 자기 삶의 역사를 어떻게 만들 것인지 끊임없이 고민해야 해.

음, 어떻게 하면 삶을 더 충실하게 살 수 있을까?

어차피 죽을 거 그냥 되는대로 사는 것이 아니라,

아, 인생 뭐 있어?

….

한 번뿐인 삶이니까 자신의 존재를 책임지며 살아야 하지 않을까?

내가 널 책임질게!

죽는 순간 '아! 내가 왜 이렇게 살았지?'라고 후회한다면 그건 이미 늦은 거야.

나는 왜 그렇게 살았을까?

이제 와서 후회하면 뭐 하나?

《존재와 시간》으로의 여행을 마무리하면서 소설가 이외수의 말을 되새겨 보자.

길이 있어 내가 가는 것이 아니라, 내가 가서 길이 생기는 것이다.

이 말은 하이데거가 우리에게 전하려 했던 말과 같은 의미라는 생각이 들어.

제가 하려 했던 말이 그 말입니다.

그런가요?

존재와 시간

하이데거는 1907년 열여덟 살의 나이로 존재와의 씨름을 시작한 이후

존재

도대체 너는 누구냐?

단 한 번도 자신의 길을 포기하지 않았어.

으랏차!

존재

크윽, 센데?

척

물론 죽을 때까지 끝내 존재가 무엇인지 알아내지 못했지.

크윽 분하다.

하지만 그는 포기하지 않았어. 존재의 의미와 진리를 묻고 사유*하는 삶을 살며 자신의 길을 만들어 나갔거든.

존재

결코 포기하지 않아!

아서 콜턴은 다음과 같이 이야기했지.

단지 도착하기 위한 여행이라면 불쌍한 여행이며, 책이 어떻게 끝을 맺는지 알기 위한 독서라면 가련한 독서다.

여행 중에 많은 것을 보는 것이 즐거운 여행이며 독서 중에 많은 것을 깨닫는 독서가 의미 있는 독서가 아닐까?

이 책의 마지막 장을 덮으면

여러분과 하이데거와 함께 했던 여행은 끝이 아니라 이제 시작이야.

척

우리는 하이데거의 손을 놓고 스스로 삶의 여행을 떠나야 해.

이제는 네 스스로 가거라.

＊사유 – 개념, 구성, 판단, 추리 등을 하는 인간의 이성 작용.

그 끝에 무엇이 있는지 예측할 수 없지만,

숲속의 길

도심의 길

밀림의 길

여러분 스스로 자신의 길을 만들어 뚜벅뚜벅 걸어갔으면 해.

평탄의 길

시간에 대한 철학적인 고찰

▲ 아우구스티누스

시간에 쫓기듯 바쁜 일상을 살다 어느 날 문득 거울을 보았을 때 늘어난 주름과 탄력 잃은 피부를 발견하면 쏜살같이 흘러가는 시간에 절로 한숨이 나올 때가 있습니다. 지나가는 시간을 붙잡을 수 없으니 더더욱 시간을 아껴서 생활해야 한다는 강박 관념에 사로잡히기도 합니다. 어제는 오늘로 이어지고 오늘은 내일로 이어지는 것 같은 흐름 속에서 손에 쥔 모래처럼 쉽게 빠져나가는 시간에 대해 한탄하는 것은 어쩌면 당연한 일일지도 모릅니다.

시간이라는 것이 도대체 무엇이기에 우리는 이렇게 얽매이는 것일까요? 사실 시간은 아주 오래전부터 수많은 철학자들을 골치 아프게 했던 문제이기도 했습니다.

고대 철학자 아리스토텔레스는 시간이란 '지금의 연속이자 이전과 이후라는 관점에서 보이는 운동의 수'라고 생각했습니다. 운동이 있어야 시간을 이야기할 수 있다는 것이지요. 그리고 이 운동이 시작되기 전과 후를 헤아릴 수 있는 영혼이 있어야 비로소 시간이 되는 것입니다.

아우구스티누스는 아리스토텔레스의 현재 중심적인 시간 개념을 더 발전시켰습니다. 그는 과거, 현재, 미래라는 세 가지 시간이 존재하는 것이 옳지 않다고 생각했습니다. 시간이란 과거의 현재, 현재의 현재, 미래의 현재이며 영혼 안에서 기억, 직관, 기대로써 존재한다고 보았습니다. 여기서 '영혼 안에서'라는 말에 주목해야 합니다.

아우구스티누스가 살았던 시대는 신을 중심으로 돌아가던 중세 시대였습니다. 신에게는 감히 시간이 존재하지 않는다고 보던 시대였지요. 신은 영원하다고 생각했기 때문입니다. 따라서 시간이란 신의 피조물인 인간에게만 존재하며 참된 존재가 아니라는 것입니다. 시간은 단지 기대하고, 지각하며, 기억할 수 있는 인간의 영혼 안에 있을 뿐입니다. 영혼의 기억 때문에 우리는 시간을 알 수 있다는 것이지요.

근대와 현대로 넘어오면서 시간은 이제 인간의 의식이나 생(삶), 실존과 같은 개념과 연결됩니다. 칸트는 '시간이란 무엇인가?'가 아니라 인간의 인식을 위해 '시간은 무엇을 하는가?'라는 사실에 초점을 맞추었습니다. 그는 시간이란 외부의 물체에 대한 경험, 즉 꽃이 시들고 나이가 들어 사람이 늙는 것과 같은 현상을 경험하면서 파악할 수 있는 것이 아니라고 생각했습니다. 시간은 우리가 태어나기 이전부터 있어 왔으며 인간이 어떤 현상을 경험하기 전에 그런 경험을 가능하게 해 주는 절대적인 형식을 이미 취하고 있다고 보았지요. 또한 시간은 우리의 생각을 순차적으로 정리하고 결합하는 데 아주 중요한 역할을 한다고도 말했습니다. 아침부터 저녁까지 하루의 흐름을 생각할 때 중요한 것은 순서에 따라 생각해야 한다는 것입니다. 아침 다음에 점심을 건너뛰고 갑자기 저녁이 올 수는 없기 때문입니다. 따라서 우리의 경험과 인식은 시간으로 인해 가능한 것입니다.

▲ 칸트

베르그송은 시간이란 의식의 흐름이며 이는 창조적 생명

▲ 베르그르송

의 도약과 함께 있다고 보았습니다. 시간은 수학적인 것이 아니어서 측정할 수도 없고, 과거, 현재, 미래로 마치 다람쥐가 쳇바퀴 돌리듯 순환되지 않는다는 것입니다. 수학적인 수치로 나타나는 시간이란 모든 사람에게 똑같은 순간을 의미하기 때문에 아무런 의미가 없는 공허한 숫자에 불과하다고 베르그송은 이야기합니다.

시간은 지속되는 것이고, 흘러가는 것이며, 단지 우리의 주관적인 느낌에 의해 체험되는 것입니다. 사랑하는 사람에게 5분의 시간은 1분처럼 짧게 느껴지지만, 선생님에게 벌 받는 5분은 마치 1시간처럼 길게 느껴집니다. 우리 삶에서 일어나는 사건과 그 순간의 의식 상태에 따라서 시간은 이렇게 다르게 지속되는 것입니다. 따라서 시간은 논리적인 사고가 아니라 순수한 직관을 통해서만 알수 있다고 베르그송은 주장합니다. 그리고 시간 속에서 인간은 창조적인 삶으로 도약을 하는 것이라고 말합니다. 감각적이고 자극적인 삶이나 과거의 기억에 얽매이지 않는 것이 중요하다고 말입니다.

하이데거는 이런 베르그송의 시간 개념에서 많은 영향을 받았습니다. 그러나 그는 베르그송이 시간을 '지금 시간', 즉 지속적인 흐름으로서 현재를 중심으로 과거에서 미래로 흘러가는 것으로 본다는 점에서 여전히 아리스토텔레스 이후의 전통에서 벗어나지 못했다고 비판했습니다. 시간이란 미래로 무한히 흘러가는 것이 아니라 인간의 삶을 유한하게 만든다는 것입니다. 따라서 인간은 죽음으로 앞서 달려가 자신이 이 세상에 내던져진 존재임을 온몸으로 받아들이며 실존적인 삶을 살아야 한다는 것이 하이데거의 생각이지요.

46

하이데거 존재와 시간

임선희 글 | 최복기 그림

01 다음에서 괴물 슈렉이 이야기한 사람은 누구일까요?

오랜 시간 여러 별들을 여행하던 어린왕자는 드디어 지구별에 도착했어. 그가 도착한 곳은 이집트의 사막이었지. 두리번거리며 모래사막을 걷던 어린왕자는 엄청나게 못생기고 커다란 괴물 슈렉을 만나게 되었어. 슈렉은 어린왕자에게 자기가 내는 문제를 맞혀야만 길을 비켜 준다고 했어. "이 사람은 아주 유명한 독일의 철학자야. 예언자, 아르메니아의 소크라테스 등으로 불렸지. 뭐, 네가 소크라테스를 알겠냐……. 어쨌든 이 사람은 《존재와 시간》이라는 책을 썼지. 이 사람은 누구게?"

① 니체   ② 하이데거   ③ 후설
④ 비트겐슈타인   ⑤ 칸트

02 다음 글에서 '이것'은 무엇일까요?

우리는 수많은 존재자들에 둘러싸여 살아가고 있습니다. 컴퓨터, TV, MP3, 꽃, 집 등등. 컴퓨터에 몰두하고, TV 프로그램에 환호하고, 책으로 공부를 하기도 하죠. 아! 사랑하는 사람에게 프러포즈를 하기 위해 반지와 꽃을 선물하기도 하네요. 우리가 반지와 꽃을 통해 사랑을 표현할 수 있는 것은 바로 이것들이 존재하기 때문입니다. 그런데 말이지요. 우리는 꽃이나 반지와 같은 존재자들에 시선을 빼앗겨 정작 '존재한다는 건 어떤 의미를 갖고 있는 것일까'에 대해서는 물어보지 않습니다. 이런 태도는 철학자들도 마찬가지입니다. 신의 존재와 인간의 존재 등에 대해서 심각하게 고민하면서도 양파 껍질을 까면 마지막에 무언가 핵심적인 본질이 나올 것처럼 그렇게 본질 찾기에만 초점을 맞추었으니까요. 우리가 공부할 때 선생님이나 어른들은 기본이 중요하다고 이야기합니다. 기본이 있어야 응용할 수 있다는 말이지요. 하이데거도 그랬습니다. 모든 것의 기본이 되는 존재 자체에 대해 물어봐야 한다는 것이지요. 그리고 이것이 존재 문제를 다루는 존재론에서 가장 처음에 해야 할 일이라고 이야기했지요. 그래서 하이데거는 자신의 존재론을 '이것'이라고 이야기했습니다.

① 법존재론   ② 영역존재론   ③ 자연주의적 존재론
④ 기초존재론   ⑤ 만남의 존재론

03 다음에서 하이데거가 자신의 연구 방법으로 삼은 학문은 무엇일 까요?

안녕? 난 뽀리야. 요즘 철학을 공부하면서 난 철학자와 요리사가 참 많이 닮았다는 생각이 들었어. 웬 생뚱맞은 소리냐고? 자, 들어봐. 너희들 닭고기 좋아하니? 닭은 어떻게 요리하느냐에 따라 전혀 다른 맛을 낼 수 있어. 닭을 튀기면 고소하고, 연기를 피워 훈제하면 특이한 향이 어우러져 그 맛이 기가 막히지. 또 삶으면 담백한 맛을 즐길 수도 있어. 철학도 마찬가지야. 같은 주제를 어떤 방법으로 분석하느냐에 따라서 닭고기 요리처럼 전혀 다른 결과를 얻을 수 있거든. 하이데거는 존재의 의미를 밝히기 위해서 일단 '인간 현존재가 자기 자신을 어떻게 드러내서 보여 주고 있는지를 쫓아가는 방법'을 택했어. 그는 스승인 후설로부터 배운 '이 학문'을 자신의 연구 방법으로 삼았어.

① 현상학　　　　② 실증주의　　　　③ 정신분석학
④ 인식론　　　　⑤ 실존주의

04 다음 글을 잘 읽고 하이데거가 인간의 독특한 존재 방식을 표현하기 위해 사용한 용어를 고르세요.

① 배려　　　　② 세계성　　　　③ 인격
④ 전재성　　　　⑤ 실존

05 하이데거는 인간이 세계 안에 존재하는 방식을 세계-내-존재라고 했습니다. 다음 중 세계-내-존재의 의미를 바르게 이해하고 있는 사람은 누구일까요?

① 형돈: 세계란 공과 같은 거야. 아주아주 커다란 빈 공간에 온갖 종류의 존재자들로 꽉 채워 넣으면 그게 바로 세계가 되는 거고 인간은 그 안에서 단지 자리를 차지하고 있을 뿐이라고.

② 재석: 인간은 정신적인 존재야. 정신 나간 사람을 우리는 미쳤다고 하잖아? 미친 사람을 과연 온전한 인간으로 볼 수 있을까? 그러니까 인간은 순수하게 정신적인 존재로만 이 세계에 존재하는 거야.

③ 준하: 인간이 세계 안에 있다는 건 저기 책상 위에 있는 사과와 같아. 사과를 먹고 싶을 때 우리는 사과를 깎아서 먹지만 먹고 싶지 않을 때는 그냥 내버려 두잖아? '눈앞에 있음'이 바로 세계-내-존재의 의미야.

④ 명수: 난 돈을 벌기 위해 닭을 팔지만, 어떤 사람들은 베테랑 요리사가 되기 위해 닭을 사용해. 인간은 각자 자신의 목적에 따라 필요한 도구들을 사용하면서 자신만의 세계를 만들어. 그래서 인간은 각자 세계 안에 다른 모습으로 존재해.

⑤ 홍철: 우리는 수많은 다른 사람들과 관계를 맺으면서 살아가고 있어. 친구와 만나서 놀기도 하고 선생님과 함께 공부하기도 하지. 이렇게 다른 사람들과 만나며 관계 맺는 걸 배려라고 해. 인간은 바로 배려하면서 존재하는 거야.

06 다음에서 설명하고 있는 '그들-자기'의 모습으로 살아가지 않는 경우는?

사람들은 다른 사람들과 거리감을 갖는 걸 싫어해. 그래서 일상생활에서 다른 사람들의 눈치를 보면서 그들의 삶에 맞추어 살려고 하지. 타인들로부터 따돌림 당하지 않기 위해서, 혹시나 책임질 일이 두려워서 남들이 하는 대로 그렇게 살아가는 거지. 사람들이 살아가는 평균적인 삶을 살려고 노력하는 거야. 하이데거는 이런 인간의 삶을 '현존재의 평균적 일상성'이라고 표현했어. 그러나 이건 자기의 본래적인 모습을 잃어버리는 것이고, 그래서 하이데거가 이야기하는 '그들-자기'의 삶을 사는 거야.

① 요즘 유행하는 노래 하나쯤은 알고 있어야 망신을 당하지 않을 거야.

② 대학을 나와야 사회에서 대접받을 수 있으니까 넌 꼭 대학에 가야 해.

③ 너도나도 물놀이 간다고 나까지 가야 하는 건 아니야. 난 책을 읽을 거야.

④ 친구들 다 △△운동화 신는단 말이에요. 그러니까 하나 사 주세요.

⑤ 다른 친구들도 교실에 쓰레기를 버리니까 내가 버려도 티 나지 않을 거야.

07 자신의 의지로 태어나는 사람은 없습니다. 누구도 자신의 부모나 국가 등을 선택해서 태어날 수는 없지요. 그러나 인간은 자신이 어떤 모습으로 살아갈지 선택하고 결정하면서 살아갈 수 있습니다. 그래서 하이데거는 인간을 가능적 존재라고 이야기합니다. 자신의 존재가능성에 자기 자신을 던져서 그것에 따라 자신의 삶을 만들어 나가는 것을 하이데거는 무엇이라고 했을까요?

_____

08 다음에서 괄호 안에 들어갈 단어를 쓰세요.

하이데거는 기분을 굉장히 중요하게 생각했다. 기분은 그저 사소하고 일시적인 변덕이 아니라 자기 자신의 존재를 문제 삼도록 하는 아주 중요한 역할을 하기 때문이다. 사람들은 기분을 통해서 자기 자신의 존재에 직면하게 되고 이를 통해 평균적인 세상 사람들의 삶의 방식에서 빠져나올 수 있다는 것이다. 기분 중에서도 가장 탁월한 기분을 그는 죽음에 대한 (   )이라고 말한다.

_____

_____

09 다음 글에서 '이것'은 무엇일까요?

흔히 사람들은 시간이란 누구에게나 똑같이 주어진다고 생각한다. 그리고 과거, 현재, 미래의 순서로 흘러간다고 생각한다. 그래서 사람들은 시계에 의지해서 어떻게든 흘러가는 시간을 허비하지 않기 위해 시계를 보며 다른 사람들이 사는 방식에 따라 시계화된 시간을 살아가고 있다. 물론 인간의 삶은 끝이 정해져 있기에 죽을 수밖에 없다. 그러나 하이데거는 《존재와 시간》에서 각 개인에게 고유한 시간의 성격, 즉 '이것'에 주목해야 한다고 이야기한다. 그는 독특하게 과거, 현재, 미래를 재해석하고 있는데, 이것은 '있어 오면서(과거) 마주하면서(현재) 다가감(미래)'을 의미한다. 그는 이것을 통해서 사람들이 각자 자신의 과거를 떠맡아서 자신의 존재가능성으로 적극적으로 달려가면서 현재를 살아야 한다는 메시지를 전한다.

_____

_____

_____

10 하이데거는 하루하루 시간을 죽이면서 자기의 본래적인 삶을 살
지 못하는 사람들은 깊은 권태에 빠질 수 있다고 했습니다. 권태
에서 벗어나기 위해 그는 '죽음에 미리 앞서 가 보기로 결단'할 것
을 권합니다. 그리고 그 과정에서 자신의 내부에서 들려오는 양심
의 소리에 귀를 기울여야 한다고 말합니다. 그렇다면 '죽음에 미리
앞서 가 보기로 결단'한다는 것은 무엇을 의미할까요?

_____

_____

_____

_____

_____